HERTA MÜLLER
BARFÜSSIGER FEBRUAR
Rotbuch Taschenbuch 14

D1297489

HERTA MÜLLER
BARFÜSSIGER FEBRUAR

Prosa

Rotbuch Verlag

© für diese Ausgabe
Rotbuch Verlag, Berlin 1990
© 1987 Rotbuch Verlag, Berlin
Umschlag von Michaela Booth
unter Verwendung eines Fotos
von Martin Pudenz
Satz aus der Walbaum-Antiqua
und Druck: Wagner GmbH, Nördlingen
Printed in Germany – Alle Rechte vorbehalten
ISBN 3 88022 024 7

Barfüßiger Februar

Jetzt ist die Zeit gleich nach dem Tode eines Freundes.

Die lange Reise war ein Schienenstrang, das Eisen der Behörden. Das Abteil fuhr. Die Scheibe hetzte Bilder. Nur der Kieferknochen war zerschlagen. Nur der Blick erfroren von der Kälte der Verhöre. Nur die Briefe und Gedichte nackt und ausgelacht.

Die Ankunft war der Winter. Fremd war das Land und unbekannt die Freunde. Die Bäume zugeschnitten, kalter Februar.

Darüber war ein Fenster.

Ich war nicht dort. Nur in den Nächten fühl ich, was man Nähe nennt und in den Tagen, was man wie Entfernung mit sich nimmt. Und schrittweise lehn ich am straßenhohen Fenster. Und frag, wie soll der Vogel diese Härte haben.

Barfüßiger Februar, ich weiß es nicht. Die Zehen hängen tiefer als der Flug. Ich drück das Fenster zu.

Es kann ein Tag die Straße überqueren.

Kein Wasser und kein Feuer und kein Strick. Die dünnen weißen Sprossen der Gedanken. Man braucht die Hände nicht daran zu tun.

Die Zehe biegt sich leicht. Die Welt ist tief.

Die Welt liegt auf dem Tode eines Freundes. Was vergeht wie Tage, wird kein Leben.

Die Erde liegt. Ich geh auf ihr.

Daß sich die Tage falten. Daß ich älter bin.

Die große schwarze Achse

Der Brunnen ist kein Fenster und kein Spiegel. Wer zu lange in den Brunnen schaut, schaut auch zu oft hinein. Großvaters Gesicht wuchs wie von unten neben meines hin. Zwischen seinen Lippen stand das Wasser.

Durch den Brunnen sieht man, wie die große schwarze Achse unterm Dorf die Jahre dreht. Wer einmal krank bis in die Augen war, und mit dem einen Aug im Tod, hat sie gesehn. Großvaters Gesicht war grün und schwer.

Die Toten drehn die Achse rundherum wie eine Pferdemühle, damit auch wir bald sterben. Dann helfen wir die Achse drehn. Und je mehr Tote sind, je leerer wird das Dorf, je rascher geht die Zeit.

Der Brunnenrand war wie ein Schlauch aus grünen Mäusen. Großvater seufzte leis. In seine Wange sprang ein Frosch. Und seine Schläfe sprang in dünnen Kreisen über mein Gesicht, und nahm sein Haar, und seine Stirn, und seine Lippen mit dem Seufzen mit. Und nahm auch mein Gesicht mit an den Rand.

Großvaters Rockärmel lehnte an meiner Hand. Hinter den Bäumen stand der starre Mittag. Und in den Bäumen war ein Zittern und kein Wind. Und überm Pflaster war ein Mittagläuten wie aus Steinen.

Die Mutter stand im Türrahmen und hatte Dampf im Haar und rief zum Essen. Und Vater kam durchs Gassentor mit einem langen Schatten überm Sand und legte einen Hammer unterm Baum. Ich ging auf den Pflastersteinen meinem Schatten nach und hob die Schuhe aus dem Schatten meiner Beine.

Großvater schob mich mit dem Rockärmel durch die halboffene Küchentür. Sein Rockärmel war lang und dunkel war er wie ein Hosenbein. Auf dem Tellergrund, durch die grünen Petersilienadern, wollte ich die schwarze Achse sehn, die unterm Dorf die Jahre dreht. Der Mutter klebte ein aufgeweichtes Petersilienblatt zwischen den Lippen und dem Kinn. Und schlürfend sagte sie: »Die Hunde bellen heute wie verrückt im Dorf.« Vater fischte die ertrunkene Ameise mit dem Zeigefinger an den Tellerrand. Und Mutter schaute hin auf seine Fingerspitze und sagte wie für sich: »Es ist ein Pfefferkorn.« Und Vater schlürfte schon ein Suppenauge und sagte leis: »Die Zigeuner sind im Dorf. Sie sammeln Speck, und Mehl, und Eier ein.« Mutter zwinkerte mit ihrem rechten Aug. »Und Kinder«, sagte sie. Und Vater schwieg.

Großvater beugte das Gesicht und stieg mit langen dunklen Hosenbeinen, mit einem nackten Fuß, der einen Löffel hielt, voraus, in den Tellergrund. »Die Zigeuner sind Ägypter«, sagte er. »Sie müssen dreißig Jahre wandern. Dann kommen sie zur Ruh.« »Dann helfen sie die Achse drehn,« sagte ich und schaute ihn nicht an. Und Vater schob den leeren Teller von sich weg und schnalzte mit der Zunge in seinem hohlen Backenzahn: »Heute Abend spielen sie Theater.« Und Mutter stellte Vaters leeren Teller über meinen Tellergrund.

Großvater schwitzte um den Hals. Sein Hemdkragen war innen feucht und schmutzig.

Hinterm Fensterglas wie unterm Wasserspiegel stand das Gesicht der Nachbarin. Leni hatte zwei Falten auf der Stirn. Die eine Falte kannte ich. Sie war wie eine Schnur.

Seit dem Frühjahr half auch Lenis Vater unterm Dorf die große schwarze Achse drehn. Großvater war ihn an seinem letzten Sonntag, wie die Mutter später sagte, vor dem Mittagläuten noch besuchen.

Es waren weiße Aprikosenbäume überm Hof und Kohlweißlinge flatterten durch die Luft. Und Großvater ging ohne Rock, obwohl es Sonntag war. Großvater ging im weißen Hemd. »Damit ich nicht so schwarz daherkomm«, sagte er.

Ich fragte Großvater unter den weißen Aprikosenbäumen, ob der Nachbar krank bis in die Augen sei, ob er die Achse unterm Brunnen sieht. Großvater nickte stumm.

Da wollte ich das Auge sehn. Da fragte ich zwei Schritte hinter seinen Sonntagsschuhn: »Nimmst du mich mit.« Großvater blieb stehn: »Die Leni hat seit Dienstagnacht ein Kind. Wenn du es sehen willst, dann nimm ihr Blumen mit.«

Ich schaute um mich her, an meinem Rock vorbei. Im Garten grünte zögernd der Salat und Zwiebelblätter wuchsen wie Schläuche aus der Erde. Die Pfingstrosen hatten über ihren Blättern braune Knospen stehn mit Haut bedeckt wie Fingerknoten. Großvater wischte an seinem dunklen Hosenbein. »Ich komm nicht mit, es blüht noch nichts.« Ich sagte es und schaute nur auf seine Hand.

Großvater hob die Hand über den Kopf und zog den tiefsten Ast des Aprikosenbaums herab. Ich brach zwei Zweige ab. Sie flatterten beim Gehen Schnee über mein Kleid. »Einen gebe ich dem Kranken«, sagte ich. Großvater schaute über die Zäune. »Wenn du ihm Blumen gibst, dann schickst du ihn ins Grab.« »Ist er todkrank«, fragte ich im Gras. Ich ging einen halben Schritt hinter Großvaters Sonntagsschuhn. Es blühte Meerrettich um ihre Sohlen. Der roch so bitter und war nicht zum Schenken.

»Man sagt nicht todkrank, man sagt schwerkrank, wenn man zu Kranken geht.« Großvater sagte: »Merk dir das« mit halbgeschloßnen Augen.

Der Nachbar lag wie schlafend. Auch sein Mund war zugedeckt mit einer Decke, die so weiß und steinig war vor Stärke wie die Zimmerdecke. Die Stirn des Kranken war durchtränkt vom Wasser. Der Tod war naß.

Großvater setzte sich auf einen Stuhl vors Bett. Er zog die Sonntagsschuhe untern Stuhl und fragte, als wär auch seine Stimme krank: »Wie gehts.« Und bei dem kurzen Fragen schloß Großvater die Augen.

Der Kranke öffnete die Augen groß und grau. Ich sah den Brunnen nicht. »Das Leben, Gregor, ist ein großer Dreck, sonst nichts«, sagte der Kranke so laut, daß es geschrieen war. »Und wenn man jung ist, ist man dumm wie Stroh.« Er schaute mit den grauen Augen Leni an. Die drückte beide Hände auf den Mund, daß ihr die Aprikosenzweige auf den Wangen schneiten. »Hör endlich auf«, schrie sie. Ihr Gesicht war jung und welk. Und meine Zweige waren über ihren Händen kahl. Da nahm Leni die Hand vom Mund, die Hand mit den Zweigen. »Der Arzt hat ihm gesagt, er soll nicht nachdenken und soll nicht reden«, sagte sie. Und ohne es zu merken, nahm sie auch die zweite, nahm sie auch die leere Hand vom Mund.

Großvater rückte seine Schuhe unters Knie. Ohne Leni anzusehen, fragte er: »Wie gehts dem Kind.« Leni sagte: »Gut. Es wächst.« »Es wächst, wächst wie ein Wurm«, sagte der Kranke, »und wenn es großgewachsen ist, wird es dich fragen, wer sein Vater ist. Und du wirst vor ihm stehen wie eine Kuh.« Großvater steckte seine Hände in die Hosentaschen: »Es wird auch ohne Vater groß«, sagte er zu seinen Sonntagsschuhn. »Und wenn es fragen wird, dann werd ich sagen: dein Vater war ein Säufer und ein Hurenbock«, sagte Leni. Großvater hob das Gesicht. Mit beiden Augen schaute er in Lenis Augen. »Jeder Mensch hat Fehler«, sagte er, »und jeder Mensch, der Fehler hat, muß Fehler machen.«

Leni schaute auf den Kranken, und schaute mit der Wange und der Ohrmuschel zu mir, und sagte: »Weißt, der Storch hat mir einen kleinen Jungen, einen kleinen Franz gebracht.« Leni hatte eine Falte auf der Stirn. Die war wie eine Schnur. »Den Vater sucht er noch«, Leni legte ihre Hand auf meinen Nacken.

Großvater erhob sich vom Stuhl. Der krachte laut. Der

Kranke streckte einen Fuß zum Bett hinaus, als strecke er ihn durch die Zimmerdecke. Sein Hohlfuß war so tief, daß ich von unten seine Augenhöhlen sah.

Im Nebenzimmer schrie der kleine Franz. Es war kein Weinen, nur ein Schreien wars, groß wie die Zimmerwand.

Jetzt stand Leni hinterm Fensterglas. Zwischen den beiden Falten auf der Stirn war Haut über ein Jahr gespannt.

Leni sagte hinterm Fensterglas: »Seit gestern Abend fehlt mein rotes Huhn.« Die Mutter öffnete das Fenster. Ihr Haar flog auf die Straße. Die Fensterflügel standen über Mutters Schultern wie zwei Spiegel. Mutter sagte: »Die Zigeuner sind im Dorf.«

Großvater schob den leeren Teller von sich weg. »Seit heute Morgen, nicht seit gestern Abend«, sagte er. Leni schaute in den Fensterspiegel und lächelte, daß ihre Mundwinkel die Wangen ganz verzerrten. »Die junge, magere, die mit dem ausgeschnittenen Kleid, so heißt es, spielt die Genoveva«, sagte sie. Und Mutter hatte keine Zeit zum Atmen und flüsterte: »Wer weiß, wo sies gestohlen hat.« Sie wetzte mit dem Ellbogen am Fensterbrett. Und Leni schaute über Mutters Schulter in den Fensterspiegel und sagte wie verträumt: »Das Kleid, wer weiß. Aber die hat doch Flöhe.« Die Mutter drehte das Gesicht zu Vater und sagte lachend: »Oben hui und unten pfui.« Vater biß sich auf den Zeigefinger. Und Leni kicherte: »Sie wollte Speck. Ich hab sie fortgejagt.«

Leni ging und eine Wolke stand im Fensterspiegel. Die Mutter stand am Tisch. »Der Storch sucht immer noch den Vater für den kleinen Franz«, sagte ich und schaute auf die Straße.

Und Vater ging unter den Baum, dem Hammer nach. Und Großvater ging mit blanker Sense in den Klee, dem Sommer nach. Ich sah, wie sich die Halme vor seinen Füßen niederlegten, als wären sie zu schwer und viel zu müd.

Ich las in meinem Buch: Da drehte sich der Königin das Herz im Leibe um vor Haß.

Die Mutter trug den blauen Eimer in den Stall.

Da ließ die Mutter einen Schatten hinter sich.

Da ließ die Königin den Jäger rufen. Du sollst sie töten, sagte sie zu ihm.

Die Mutter kam mit einer Kette aus dem Stall.

Aber der Jäger hatte ein weiches Herz. Er brachte der Königin das Herz eines jungen Rehs.

Die Kette rasselte in Mutters Hand. Mutter schlängelte sie neben ihren runden Waden.

Das Herz blutete.

Die Mutter ließ die Kette neben ihre nackten Füße fallen: »Sie ist zerrissen«, sagte sie. »Trag sie zum Schmied. Hier ist das Geld.«

Die Königin ließ das Herz in Salz kochen und aß es.

Ich hielt den zehn-Lei-Schein in der einen Hand und in der andren Hand hielt ich die Kette. Und Mutter fragte: »Hast du ein Taschentuch. Halt dir die Augen zu und schau nicht in die Glut.«

Mutters Mund stand hinter mir im Gassentor und rief: »Komm schnell zurück, gleich wird es Abend, und dann kommt die Kuh.«

Die Hunde bellten rasch an mir vorbei. Die Sonne hatte einen langen Bart. Er flatterte und zog sie an den Maisstengeln hinunter, unters Dorf. Es war ein Bart aus Glut. Und Glut war unterm Blasebalg des Schmieds.

Großvater war mit dem Schmied im Krieg Soldat gewesen. »Der erste Krieg, das war ein Weltkrieg«, hatte er gesagt. »Und wir, die jungen Männer waren in der Welt.«

Die Gärten waren hoch. Es wuchsen Schatten. Die Gärten waren nicht aus Erde. Sie waren nur aus Mais.

»Nicht im Krieg hat er sein Aug verloren«, hatte Großvater gesagt. »In Kriegen stirbt man, und wenn man stirbt, dann stirbt man ganz.« Sein Schnurrbart zitterte. »Nicht unterm Dorf, nein, weit von hier, ja weit von hier, weit in der Welt. Wer weiß, wo sie jetzt die große schwarze Achse drehn. Sein Aug hat er verloren in der Schmiede.« Großvater hatte mal gesagt: »Als reifer Mann.«

Dem Schmied ist Glut ins Aug gespritzt. Die hat gebrannt. Sein Aug war dick und blau wie eine Zwiebel. Und als der Schmied das Zwiebelauge nicht mehr tragen konnte, weil es ihm den ganzen Kopf gefressen hätte, und den Verstand, hat er es mit der Nadel aufgestochen. Das Zwiebelaug ist tagelang geronnen, schwarz und rot, und grün, und blau. Und alle Leute haben sich gewundert, daß ein Aug, ein Augenlicht so viele Farben hat. Der Schmied lag in den Rinnsalen des Augenlichts im Bett und alle Leute haben ihn besucht, bis sein Auge ausgeronnen war. Da war die Augenhöhle leer.

Auf der Straße fuhr ein Traktor. Er rasselte unter die Häuser und zog einen Acker aus Staub hinter sich her. Der Traktorist hieß Ionel. Er trug auch im Sommer die gestrickte Kappe mit der dicken Quaste. An seiner Hand blinkte der dicke Ring. »Der ist nicht aus Gold«, hatte Mutter gesagt, »das sieht man.« Und zur Tante hatte sie gesagt: »Die Leni ist dumm wie Stroh, weil sie sich mit dem Traktoristen eingelassen hat. Der versäuft sein Geld, und um die Leni kümmert der sich einen Dreck.« Und der Onkel hat seine Schuhe geputzt, hat draufgespuckt und mit dem Lappen fest gerieben, und hat gesagt: »Ein Walach ist ein Walach, mehr gibts da nicht zu sagen.« Und seinen kahlen Kopf hat er gewiegt. Und die Tante hat die Schultern leicht gehoben, und geflüstert hat sie: »Daß die Leni nicht an ihren Vater denkt, der kränkt sich noch zu Tode.«

Die Quaste zitterte auf Ionels Kopf. Ionel fuhr und pfiff, und der Traktor walzte sein Lied in den Staub, in die Erde. Der Staub fraß an meinem Gesicht. Das Lied, das Ionel pfiff, war noch immer nicht zuende, war immer noch nicht totgewalzt. Das Lied war länger als die Straße.

Der Mond war erst der Schatten eines Mondes, war neu und noch nicht aufgegangen. Sein Licht stand weit wie in Gedanken dort am Himmel. Und in der Sonne schimmerte noch Glut.

Großvater saß vor einem Jahr am Ostersonntag mit dem Schmied und einer Flasche Wein im Wirtshaus. Ich stand an seinem Ellbogen am Tischrand, weil ich mit ihm in die Kirche gehen sollte. Der Schmied trank eine Flasche durchsichtigen Schnaps und sagte: »Kriegsgefangenschaft« und »Heldenfriedhof.« Und Großvater sagte durch den roten Tropfen Wein am Rande des Glases »Strategie« und »Mostar«, sagte er, »der Wilhelm liegt in Mostar.«

Auf dem Weg durchs Dorf sang der Schmied La Paloma. Seine Hand tanzte in der Luft und sein Auge tanzte mit. Nur seine leere Augenhöhle konnte sich nicht drehn. Großvater lächelte, und schwitzte, und schwieg in seinem Glück. Und seinen Augen sah man an, daß sie zurückschauten in andre Jahre. Die häuften sich, weil sie schon in der Erde waren. Und seine Beine traten stelzend auf und gingen langsam.

Ionel warf seinen Acker übers Dorf, über die Dächer und fuhr hinter der Kirche in die Bäume.

Vor mir ging die Kantorin. Ihr Kleid flatterte mit blauen Blumensträußen. Einmal war sie bei einem Begräbnis mitten im Singen neben dem Pfarrer zusammengebrochen. Ihr Mund stand damals offen und schäumte weiß, daß es Meerrettich war, der ihr am Hals in den Kragen tropfte. Großvater knöpfte damals seinen schwarzen Rock auf und sagte mir ins Ohr: »Sie hat die Hinfallende. Gleich ist es vorbei.«

Ich sah die Mühle dreimal. Zweimal stand sie Kopf, einmal im Teich und einmal in den Wolken. Eine rote Wolke war die Königin. Sie hatte Glut im Kleid und schaute durch ihr graues Haar auf meine Kette.

Hinter mir gingen Schritte. Die hallten unters Pflaster

und kamen hinter meinen Fersen aus dem Gehsteig heraus. Ich schaute mich nicht um. Die Schritte waren nicht so dicht und waren größer als die meinen. Meine Kette schlängelte neben den Hosenbeinen, als der Agronom mich überholte. Ich murmelte etwas, wie einen Gruß, etwas, was er mit hohen weißen Ohren in den blanken Schuhen gehend, überhörte.

Der Agronom hatte einen hellgrauen Anzug mit dunkelgrauem Muster an. Es war ein Fischgrätmuster, und es war hell an den Schultern und dunkel am Rückgrat. Der Agronom ging mit schwarzen Wirbeln in seinen Fischgräten hinter der Kantorin her. Sein Weg war kniehoch über der Erde, war nicht auf dem Pflaster. Sein Weg war auf den Waden der Kantorin, bleich und oval war sein Weg, und ein wenig zu schmal an den Fersen. Und er stürzte auch ab, an den Fersen, und er kam diesem flatternden Kleid nicht mehr nach. Und es blieb ihm der breitere tiefere Gang, vor mir, auf dem Pflaster.

Auf der anderen Straßenseite ging der Briefträger. Der Schirm seiner Mütze war wie ein Dach. Ich sah die Wurzeln seines Gesichts, ich sah seinen Schnurrbart. Seinen Mund sah ich nicht.

Meine Kette rasselte in meinen Sohlen. Ich ging nicht zur Schmiede. Ich ging auf den Bahndamm zu. Denn hinterm Bahndamm hörte ich ein Lied. Und das Lied war im Bahndamm drin, es war lang und hoch, daß es ins Dorf fließen mußte, das Lied. Und das Lied war weich und traurig, wie Regen im Sommer auf der Erde.

Das Lied kam aus einer Geige. Und die Saiten waren wie Drähte an den Telegrafenstangen übers Dorf gespannt. Und eine Männerstimme sang so tief wie aus der Erde. Sie sang von Pferden und vom Hungerleiden auf den großen Straßen.

Auf dem Bahndamm, neben den Schienen, auf denen schwarze Züge fuhren, wuchs viel Gras. Das Gras zitterte vom Sog der Züge, die lange schon vorbei waren, im Tal. Und von den Zügen zitterte das Gras, die niemals in die Nacht fuhren, die erst ins Dorf kamen am nächsten Tag.

Im Gras, das immer zitterte und eine Weile mit den Zügen fuhr, weideten Pferde. Eines der Pferde hatte rote Bänder in der Mähne. Die Pferde hatten knochige Gesichter. »Sie müssen dreißig Jahre wandern. Dann kommen sie zur Ruh.« Auch die Pferde der Zigeuner sind Zigeuner.

Hinterm Bahndamm standen zwei Zigeunerwagen mit runden, aufgespannten Planen. An den Rädern hingen staubige Laternen mit ertrunkenem und schwarzem Docht.

Neben den Wagen war ein offener Kreis aus Leuten. Die aus der letzten Reihe hatten Hosenbeine, und Waden, und Rücken, und Köpfe. Und die aus der vorletzten Reihe hatten Schultern, und Hälse, und Köpfe. Und die aus der ersten Reihe hatten Haarspitzen, und Hutränder, und Kopftuchenden.

Vor den Leuten war eine Wand aus Tuch, ein Bühnentuch. Und vor dem Bühnentuch war die Bühne. Und auf der Bühne stand der Jäger. Er hatte einen grünen Anzug an. Er sagte: »Mein Herzog«, und hielt ein großes rotes Herz in der Hand.

Die Kantorin hob das Kinn zu hoch. Ihr Mund stand offen. Sie bewegte die Lippen und griff sich ins Haar. Als die Stimme des Herzogs am lautesten war, blinkte in ihrem Mund ein Zahn.

Der Sänger kam auf die Bühne. Er drückte das Kinn auf die Geige und spielte und sang: »Du schwarzer Zigeuner, komm spiel mir was vor.« Meine Tante hatte feuchte Augen und drückte sich die Finger auf den Mund. Mein Onkel blies ihr einen großen grauen Rauchvogel ins Haar. Seine Backenknochen bewegten sich.

Ich legte meine Kette ins Gras, damit sie das Lied nicht durchrasselt und stellte mich neben den offenen Kreis, neben das Bühnentuch. Der Agronom steckte die Hand in die Rocktasche und ich sah diese Hand wie den Bauch eines Fischs unterm Stoff. Der Agronom schaute über die Geige des Sängers am Gesicht der Verkäuferin vorbei auf den Hals der Kantorin. Ihre Waden waren von den Hosenbeinen des Briefträgers bedeckt.

Genoveva schaute ihr Gesicht im Wasserspiegel eines runden Blechtrogs an. Der Blechtrog war mit grünen Pappelzweigen eingeflochten und war im Wald ein See.

Genoveva schloß die Augen. Sie streifte ihren Ehering vom Finger, schaute ihr Kind an und ließ den Ring ins Wasser fallen. Sie saß lange gebückt vor dem See und weinte.

Leni stand in der zweiten Reihe neben der Schneiderin meiner Mutter. Die trug ein erbsengrünes Kleid mit einem weißen Spitzenkragen. An Mutters Kleidern nähte sie die Brusteinnäher jedesmal zu tief. So waren Mutters Kleider alle welk, und welk waren darunter ihre Brüste. Leni schaute in den tiefen Brustausschnitt der Genoveva, Leni war, seitdem ihr Vater an der großen schwarzen Achse drehte, schwarzeingeschlossen in ein Trauerkleid. Sie zupfte an den Knöpfen ihrer Trauer und flüsterte der Schneiderin etwas ins Ohr. Und an dem Brustausschnitt vorbei, floß ihr der Augenwinkel zu Ionels Gesicht. Ihr seidnes Kopftuch hatte einen schwarzen Zipfel. Der erschreckte sich, als er den weißen Spitzenkragen streifte. Die Schneiderin verzog den Mund. Ionel wippte mit der Quaste seiner Kappe vor der Stirn des Schmieds.

Der Herzog bückte sein Gesicht über den See und ließ die Hände ins Wasser sinken. Der Schmied befeuchtete seine Lippen am Flaschenhals. Die Mütze des Briefträgers war ihm ins Gesicht gerutscht. Der Schirm fraß seine Stirn. Der Schnurrbart fraß seinen Mund.

Der Herzog hielt einen Fisch in der Hand und schnitt den weichen Bauch mit einem kleinen Messer auf. Das

Messer hatte einen weißen Griff. Im Bauch des Fisches war der Ehering der Herzogin.

Ich hörte hinterm Bahndamm Kühe gehen. Ihr Muhen war vom Abend langgedehnt und müde war es von der Weide. Meine Kette lag neben einem großen Schuh. Der Briefträger warf einen Zigarettenstummel neben sie. Der glühte wie ein Auge.

Der Sänger kam vors Bühnentuch. Er drückte das Kinn auf die Geige. Er spielte und sprach: »Das rote Herz war nicht das Herz unserer Herzogin. Es war das Herz eines Hundes.«

Der Briefträger riß die Mütze vom Kopf und schwenkte sie in der Luft. Seine Stirn leckte sein Haar bis auf den Hinterkopf. Ich schwenkte mein Taschentuch und schaute seinem Wind und seinem weißen Flügel nach.

Der Sänger sang ein Lied von schönen Fraun. Sein Mund verweichte auf der Geige. Der Schmied hob die Flasche an die Lippen und schloß sein buntes Augenlicht, das noch nicht ausgeronnen war. Er lächelte und schluckte. Ionels Quaste stand im Klang der sanftbesungnen Liebe in seiner leeren Augenhöhle und war ein wollnes Auge. Der Schmied hob die Hand und rief: »Meister, sing uns La Paloma.« Der Sänger klimperte, bis er das Lied in seinen Fingern und auf seinen Lippen fand. Mein Onkel wiegte den kahlen Kopf und klatschte. Und meine Tante zerrte mit krummen Fingern an seinem Ärmel und zischelte: »Du Narr.«

Die Kantorin summte in sich hinein. Der Agronom tanzte mit dem Knie. Ionel tanzte mit dem Finger. Der Schmied sang laut und heiser mit. Leni stand eine runde Träne auf der Wange. Die Schneiderin riß sich vom schwarzen Trauerstein und Lenis Träne los, war erbsengrün und in der Freude ihres weißen Spitzenkragens rief sie: »Bravo.«

Der Herzog ging über die Bühne. Hinter ihm gingen drei

Diener, und hinter den Dienern ging ein Pferd. Die Diener waren kleiner als der Herzog und älter, und das Pferd hatte rote Bänder in der Mähne.

Ionel schaute auf die Beine des Pferdes. Seine Quaste streifte den Mund des Schmieds. Leni kaute am seidnen Zipfel ihres Kopftuchs.

»Euer Gnaden«, sagte der älteste Diener, »der Jäger hat gestanden, daß Genoveva lebt.« Der kleinste Diener lief und zeigte mit der Hand auf ein Gestrüpp. Die Schneiderin flüsterte Leni etwas ins Ohr.

»Ists Traum, oder ists Wirklichkeit«, rief der Herzog. Genoveva erhob sich aus dem Gestrüpp. Ihr Haar war lang und schwarz. Ihr Haar war an den schwarzen Enden in die Nacht geglitten. Ihr Kleid war leicht und war nicht welk.

Sie lief auf den Herzog zu. Hinter ihr lief ihr Kind. Das hielt einen großen Schmetterling in der Hand. Der zitterte vom Laufen und war bunt. Als das Kind hinter Genoveva stehenblieb, rief der Herzog: »Meine Genoveva« und Genoveva rief: »Mein Siegfried.« Sie umarmten sich und der Schmetterling zitterte nicht. Der Schmetterling war tot und war aus Papier.

Der Briefträger biß sich auf die Wurzeln seines Gesichts. Er hatte eine Lippe und Zähne hatte er. Und seine Zähne hatten eine Schneide. Die Kantorin lachte. Ihre Zähne waren weiß, waren Meerrettich und waren Schaum. Auf ihrer Schulter hing ein blauer Blumenstrauß und neigte sich auf ihren Arm.

Das Pferd mit den roten Bändern fraß Gras auf der Bühne. Siegfried hob das Kind gegen den Himmel. Die nackten Füße baumelten vor seinem Mund. Siegfrieds Mund stand offen. »Mein Sohn«, sagte er, und sein Mund war so groß, als würde er die nackten Zehen seines Kindes atmen. Und zu den Dienern sagte Siegfried: »Jetzt feiern wir, jetzt wird es lustig sein, mein Volk, und tanzen.« Er hob Genoveva und das Kind in den Sattel. Das Pferd stampfte mit dem Hufe im Gras. Ich wußte, daß es oben auf dem Bahndamm von dem Gras gefressen hatte, das immer zitterte und immer eine Weile mit den Zügen fuhr. »Von diesem Gras muß es bald wandern«, dachte ich.

Genoveva winkte mit der Hand und das Kind winkte mit dem toten Schmetterling. Ionel winkte mit dem dicken Ring, der Briefträger winkte mit der Schirmmütze, der Schmied winkte mit der leeren Flasche. Leni war schwarzeingeschlossen und winkte nicht. Die Schneiderin rief: »Bravo.« Der Agronom winkte mit dem Fischgrätenärmel und mein Onkel rief: »Deutsche Zigeuner sind Deutsche.«

Meine Kette war schwarz wie das Gras. Ich sah sie nicht. Sie war mit ihren Enden in die Nacht geglitten. Ich trat mit dem Fuß nach ihr und hörte sie. Ich schwenkte mein Taschentuch.

Der Sänger kam auf die Bühne und winkte mit der Geige. Er sang mit gebrochener Stimme und der Bauch seiner Geige war tief wie die Nächte und summte unter mir: »Das Schicksal ist manchmal so schwer/ und wenn man glaubt, es geht nicht mehr,/ kommt von irgendwo ein Lichtlein her.«

Die Kantorin weinte in ein zerknülltes Taschentuch. Neben den Sänger trat ein Mädchen. Es trug eine brennende Laterne. Es hatte eine große welke Rose im Haar. Und nackte Schultern hatte es, die waren durchleuchtet, und waren aus Glas. Der Agronom glitt mit den Augen über das Glas dieser Schultern und seine Fischgräten drängten ihn dicht neben mich, näher zur Bühne.

Der Sänger sang ein Lied von wenig Essen und wenig Geld. Die Arme des Mädchens waren durchsichtig vor glatter Haut und sie rasselten von den vielen wilden Armringen, die zu den Ellbogen hinauf und gleich wieder zurück über die Hände stürzten. Die Armringe zerbrachen schillernd und waren in der Flamme der Laterne wieder ganz, und heiß durchleuchtet waren sie vom Licht.

Das Mädchen hielt einen schwarzen Hut in der Hand und ging von Gesicht zu Gesicht, von Hand zu Hand.

Mein Onkel in der letzten Reihe hatte ein flammendes Gesicht und ließ eine handvoll Münzen in den Hut fallen. Der Kantorin fiel ein zerknüllter Geldschein aus der Hand. Die Laterne durchglühte ihren Hals und schwemmte ihn, bis das Geld im Hut versunken war, hinaus aus der Nacht.

Das Mädchen hatte ein weißes Leibchen an. Das war oval und knapp wie Augenweiß, daß man im Schimmer der Laterne die runden braunen Augen ihrer Brüste darin schwimmen sah. Der Briefträger hielt seine Hand über den Hut. Sein Schnurrbart zitterte und seine Augen legten sich wie Kelchblätter um die kleine welke Rose, die das Mädchen im Nabel trug.

Die Hand des Agronoms klimperte, als wären die Fischgräten dürr. Die Schenkel des Mädchens glitten an ihr herauf bis unter die Arme, sie schüttelten die Hüften und teilten die Fransen des Rocks. Und die Fischgräten des Agronoms standen in zuckendem Grau und seine Augen drängten sich mit den Augen Ionels auf dem schmalen seidenen Dreieck, das zwischen den Schenkeln des Mädchens war.

Lenis Augen waren groß und in den Augenwinkeln hart und weiß wie Grabsteine. Ionel blinkte mit dem Ring über dem schwarzen Hut. Seine Lippen waren naß und seine Kehle stieg ihm in den Gaumen.

Meine Augen ertränkte das seidene Dreieck. Ich ließ mein Geld an den wilden Armringen vorbei, in den Hut fallen. Meine Hand erschrak, als ich die langen schwarzen Haare um das weiße Dreieck neben meinen Fingern sah.

Leni hatte die Schneiderin eingehängt. Sie ging mit ihr auf den Bahndamm zu. Sie gingen wie leere Kleider. Leni schaute sich noch zweimal um. Ionel pfiff sein totgewalztes Lied und schaute das Mädchen mit dem seidnen Dreieck von hinten an. Die Kantorin war schon oben auf dem Bahndamm und ihr Kleid leuchtete ein wenig und verschwand. Der Agronom steckte die Hände in die Rocktaschen. Das Mädchen trug den Hut hinters Bühnentuch. Ionel ging pfeifend zu seinem Traktor.

Der Bahndamm war schwarz und hoch und das Gras war schwarz und tief. Meine Kette lag nicht neben meinem Schuh. Ich bückte mich. Soviel Erde war vor meinem Gesicht, und ich drehte mich in vielen Kreisen. Das Gras war feucht und meine Hände waren kalt. Und meine Kette war ertrunken, hatte sich weggeschlängelt zu den unsichtbaren versteckten Schlangen, war gewandert, dreißig Jahre weit von mir, im Wandern der Zigeuner.

Und meine Kette, und der Schmied, und meine Mutter, und mein Geld.

Das Bühnentuch beulte sich im Wind. Das Feuer der Zigeuner war sehr rot und heiß war es wie mein Gesicht, wie meine Augen, wie mein vor sich hin redender Mund. Und der Rauch des Feuers war dick. Er deckte die Augen der Zigeuner zu, die Schläfen der Zigeuner, und die Hände. Der Rauch des Feuers fraß ihr Haar, zerraufte es und blies es auf wie grauen Teig. Ich stellte mich in diesen Rauch. Er fraß mich nicht, flog in die Luft in feinen Rüschen und erstarrten Fächern, in weißen Anzügen und schwarzen Schuhn. Und ließ mich stehn. Und schickte mich nachhause.

Der Sänger fütterte die Pferde. Das Pferd mit roten Bändern in der Mähne schaute in den Mond.

Ich ging wie ausgeronnen auf den Bahndamm zu. Der Mond war leer. Vor dem Bahndamm saß eine Frau. Ihre Bluse war schwärzer als die Nacht und ausgebreitet waren ihre Röcke. Unter ihren Röcken rauschte es. Sie pflückte Gras mit einer weißen Hand und stöhnte laut wie für den Tod. Auf dem Bahndamm stand ein schwarzer Mann und schaute hinauf in den Himmel. »Jetzt wären wir schon längst zuhaus«, sagte er. Und seine Stimme war die Stimme meines Onkels.

Es stank nach faulem Fleisch. Meine Tante hob ihre Röcke. Ein heller Fleck stand unter der schwarzen Bluse. Der Fleck war breit, und gleicher war er als zwei Monde. Meine Tante wischte sich mit einem Grasbüschel den Hintern. Mein Onkel ging auf dem Bahndamm auf und ab. Er blieb kurz stehn und: »Menschenskind«, rief er, »das stinkt ja wie die Pest.«

Der Himmel roch nach Kot. Der Bahndamm stand schwarz hinter mir und riß den Himmel runter, und schob ihn vor sich auf den Schienen her wie einen schwarzen Zug.

Der Teich war klein und hielt den Spiegel hin. Er konnte soviel Kot und soviel Nacht nicht widerspiegeln. So blieb er blind und starr im Sack des Mondes stehn.

Vor der Mühle stand ein Storch. Sein Flügel war verwest vor Dunkelheit, sein Bein war angefault vom Teich.

Aber sein Hals war ganz weiß. »Wenn er fliegt, stirbt er in der Luft, und alles, was er tut, ist Klage«, dachte ich. Und gehend sah ich meine Kette überall aus dunkler Luft und schrie: »Steck deinen Schnabel in den Kot. Geh in den Schlamm und such den Vater für den kleinen Franz.«

Auf den Straßen standen dichte Bäume. Die blühten in den Frühling. Und wenn der Sommer kam, hatten sie rote Blätter und kein Obst. Und keinen Namen hatten sie, die roten Bäume. Sie rauschten weich und meine Kette war nicht drin.

Und hinterm Zaun bellte das Herz eines Hundes. Und oben in den roten Bäumen fror das Herz eines jungen Rehs.

Und an der Schmiede war das Fenster dunkel, weil der Schmied schon schlief, und weil die Glut schon schlief. Und viele Fenster waren hell und schliefen nicht.

Das Brunnenrad stand still. Der Brunnen schlief und seine Kette schlief. Eine Wolke wanderte im großen Kot. Im Schlaf des Himmels zog sie auf und ab, und hatte weißen wilden Meerrettich im Schuh, und flatterte am Hals. Und flatterte am Hals mit Lenis rotem Huhn.

Und über dem roten Huhn schrie ein Gesicht: »Wo ist deine Kette, und wo ist dein Geld.« Das Fenster unsres Hauses war voll mit Glut.

Das Dorf war leer. Gregor, das Dorf war leer. Ich horchte am Fenster. Das Radio schwieg. Und Mutter schrie. Und Vater schwieg.

Großvater schlief. Gregor schlief einen Traum und sah in seinem Traum, wie ein Frosch mir in die Wange springt.

Die große schwarze Achse drehte sich.

hinweg wollte Karl dieses Land verlassen.

In den Weidenzaun blies der Wind. Die Blätter taten sich auf. Es kam Feld in den Hof.

Wenn die Gewitter vorüber waren, rauchten die Bäume.

Der Nußbaum blieb kühl. Nachts fielen Nüsse aufs Dach und schlugen sich die Schädel ein. Nachts rollte der Stechapfel die weißen Grammophone auf. Er roch wie Unglückshaut verlaßner Fraun. Der Iltis würgte rasch das Huhn.

Morgens lagen zwischen grünen Schalen nackt die Gehirne der Nüsse auf dem Pflaster.

Die Zinnien hatten jeden Sommer ein anderes Geschau. Karl sah sie nachts zu andren Blumen gehn.

Die Kartoffeln blühten mit Schleierbündeln. Die Reihen waren gezählt. Spät im Sommer hielt der Wagen vor dem Haus. Die Pferde fraßen Gras. Ein Mann lud die Kartoffeln auf und lieferte sie dem Staat.

Die Hühnereier waren eingetragen auf der Liste der Konsumgenossenschaft.

Die Rüben hatten grüne Ohren. Sie mußten im Herbst an die Zuckerfabrik geliefert werden.

Die Pflaumenbäume waren aufgeschrieben. Sie gehörten der Gemeinde.

Die Besenreiser mit den spröden Schnurrbärten gehörten der Handwerksgenossenschaft.

Karl wollte vor drei Jahren ins Gebirge fahren. Als er aus dem Dorf nachhause kam, hatte sein Vater sich in der Scheune erhängt. Karl sah die Schuhe seines Vaters vor dem Brunnen stehn. Kurz vor dem Tod dachte der Erhängte noch, er würde sich ertränken.

Vor zwei Jahren wollte Karl ans Meer fahren. Der Briefträger warf jeden Tag die Zeitungen übers Tor. Er brachte Karls Rente nicht.

Im vergangenen Jahr waren die Steuern so groß, daß Karls Rente nicht reichte. Zwanzig Jahre Schraubenstanzen reichten nicht für einen Urlaub.

Letztes Jahr gehörte der Garten dem Volksrat. Dann kam der Mann vom freiwilligen Arbeitseinsatz. Dann kam die Stromrechnung. Dann kam der Mann vom Leichenverein.

Karls Sparbuch war leer wie der Schnee, und das Geld war im Holz für den Winter.

Als der Schnee schmolz, rief der Zigeuner im Hof. Er wollte Kochgeschirr für alte Federn tauschen. Er nahm Karls Brille mit.

Karl wollte dieses Land verlassen. Er schrieb ein Gesuch an die Behörden.

Im Sommer kam Karls Bruder und brachte achttausend Mark. Und nochmal so viel bezahlte für Karl die Regierung des Wohlstands den armen Behörden.

Im Spätherbst kamen die Landvermesser aus der Stadt. Sie verwandelten das Haus in Geld wie zweimal ein Gehalt. Karl zählte nach. Karls Lungen trieben Zorn ins Herz.

Karl nahm das Geld für das Haus und kaufte sich dafür einen Wintermantel.

Karl nahm die Axt aus der Scheune. Im Hof fiel zögernd der Schnee. Karl hackte in seinem Wintermantel die Wurzelstöcke der Weinreben aus. Karl hackte bis tief in die Nacht.

Karl hackte sich im zögernden Schnee aus den Weinreben hinaus.

Über den Kopf der Weinreben hat Karl dieses Land verlassen.

Drosselnacht

Wer glaubt mir, daß es an der Drossel liegt, daß Martin starb.

Ich hab mir keine Jahreszahl gemerkt. Als es anfing, was ich dir erzähl, war um die Hügelspitzen hinterm Dorf der Wind mit roten Wolken übers Laub gefallen. Der Morgen war ein Krug aus Glas und unser Dorf ein Steinhaufen auf seinem Grund, so klein und schwarz, wie ein Käfer, der im Mist der Erde wühlt. Nur eine Drossel flog über den Krug. Ihr Kopf war rot, weil sie vom Hügel kam und Wolken mit sich trug. Unter ihrem Flug war unser Haus, war unser Hof, war unser Dorf mit einem großen Schatten zugedeckt und unsichtbar. Ich trug in meiner Schürze Holz. Das Holz riß mir beim Gehen fast den Bauch unter der Schürze auf. Jakob kam mit einem braungestrichnen Holzkoffer die Bodentreppe runter. Der Koffer klapperte. Jakob ließ die Bodentür weit offen stehn. Hinter seinem Rücken war ein schwarzes Loch. Es roch nach Mehlstaub und nach toten Mäusen. Ich blieb mit meinem Holz neben der Boden- treppe stehn. Ich sagte: Jakob, sag ihm noch einmal, er soll nicht gehn. Jakob schwieg und trug den Koffer vor mir her. Er hielt die Tür auf und ich ging mit meinem Holz an seiner Hand vorbei ins Zimmer. Jakob stellte den Koffer auf den Tisch. Ich ließ mein Holz in einen Korb fallen, der neben dem Ofen stand. Jakob nahm leere Wespenwaben aus dem Koffer. An seinen Fingern hingen Spinnweben und tote Fliegen. Martin stand vor dem Spiegel. Er kämmte sich. Jakob sagte: Martin, die Mutter hat gesagt, daß ich dir nochmal sagen soll, du sollst nicht gehn. Jakob schaute in den Koffer. Martin schaute in den Spiegel. Sein Scheitel lief wie eine Schnur von seiner Stirn den Schädel hinauf. Sein

Gesicht war rot, wie der Kopf der Drossel, wie die Wolken überm Hügel. Martin fuhr sich mit dem Kamm durchs Haar. Er schaute sein Gesicht im Spiegel an und schrie: Wenn ich gehen will, dann laßt mich gehn. Jeder, der im Dorf was zählt, muß gehn. Seine Augen glänzten tief im Glas. Jakob legte fünf große Hühnereier auf den Tisch. Er sagte: Gib ihm hartgekochte Eier mit auf den Weg. Ich ließ die Eier mit dem Löffel in den Topf, ins heiße Wasser sinken. Ich weinte und die Eier drehten sich im Topf. Martin wickelte Schweinespeck in Butterpapier und einen Laib Brot und dicke Zwiebeln in alte Zeitungen ein und legte alles in den Holzkoffer zwischen die Wäsche. Jakob hielt ihm noch ein Hemd hin und sagte: Nimm deine Schafwollsocken für den Winter mit. Ich hielt die Schürze über mein Gesicht und sagte laut, daß es beinah geschrien war: Martin, räum den Koffer aus und bleib hier. Von der Drossel sagte ich kein Wort. Die Eier drehten sich im Topf. Die Glut schimmerte durch die Ofenplatte. Sie war rot.

Jakob und Martin gingen vor mir her. Zwischen ihren Schritten hing der braungestrichne Koffer. Ich weiß nicht, wer ihn trug, wahrscheinlich Jakob. Denn so war es damals bei uns im Dorf, daß die Väter, wenn die Söhne in den Krieg gingen, die Koffer bis zum Bahnhof, bis zum Zug, bis an den Rand des Krieges trugen. Bei denen, die vor Martin gegangen sind, hab ichs gesehen. Ich sah die Väter mit den Koffern durch die Fensterscheibe gehn, und sah die Söhne mit den leeren Händen gehn. Und ihre Schritte sah ich, dicht am Pflasterrand und fast im Gras. Jedesmal, wenn ich allein im Zimmer stand, sah ich sie gehn und dachte jedesmal: Wie gut, daß Martin nicht im Zimmer steht und sieht. Ich dachte: Vielleicht merkt er nicht, wie viele gehn. Die Drossel aber flog von Haus zu Haus. Sie flog durchs Dorf, sie flog durchs Jahr.

Ich ging hinter Martin und Jakob her. Sie gingen rasch und zwischen mir und ihnen wehte von der Straße her das

Gras. Sie gingen stumm und ich trat leise auf, um mit den Röcken, die ich torkelnd trug, die gleichmäßigen Schritte, die sie gingen, nicht zu stören. Die Hügelspitzen schwammen durch das Laub. Der Morgen war schon groß. Der Krug war eine Schüssel mit einem breiten durchsichtigen Rand. Das Wasser stand kühl überm Dorf. Ich suchte gehend seinen Rand und mir fiel ein, daß meine Mutter, als ich noch ein Kind war, sagte: Das Wasser ist ein böser Spiegel, es zittert und es macht uns alt. Sie beugte ihr Gesicht über den Waschtisch und ihr Zopf hing in die Waschschüssel, als sie das sagte. Und während ich das dachte, sah ich die beiden breiten Rücken vor mir gehn. Ich hörte durch das Wasser überm Dorf die Drossel singen. Ich suchte sie mit beiden Augen, mit den Schläfen, mit der Stirn. Sie war nicht im Wasser überm Dorf. Und was sie sang, war laut und war kein Lied. Auf Martins Rücken zitterte der Rock. Und als ich dieses Zittern nicht mehr in den Augen halten konnte, fiel mir ein, daß ich vor Jahren dieses Lied aus Martins Wintermantel gehört hatte, aus Martins Rücken.

Wir standen auf dem Hügel hinterm Dorf, im nackten Wald, im Schnee. Der Weg war zugeweht. Die Pferde wollten den Wagen nicht mehr ziehn. Wir gingen einem gelben Streifen nach. Es war der Fluß. Als wir oben auf dem Hügel angekommen waren, kam ein Rudel Wölfe heulend auf uns zu. Es war so groß und schwarz, daß der Schnee sich grau verfärbte, daß die Bäume dichter wurden, daß es dämmerte im Wald. Wir zündeten mit einem Bündel Stroh ein Feuer an, um die Wölfe zu vertreiben. Das Feuer brannte schwach. Der Rauch war schwarz und um den Rauch zerfloß der Schnee. Die Pferde rasselten mit dem Geschirr. Der Wagen krächzte. Jakob schlug mit der Lederschnur der Peitsche wilde Kreise durch die Luft und schrie. Ich weinte. Nur Martin stand mit großen Augen hinter einem Schlehenstrauch, der größer war als er und größer als mein schwarzer Regenschirm, mit dem er spielte. Das Rudel war schon auf der Hügelspitze. Die beiden Wölfe, die es durch den Schnee führten, waren so nah, daß wir ihre Augen glänzen und den weißen Dampf aus ihren Zähnen steigen sahen. Martin spannte den schwarzen Schirm auf und lief zum Feuer. Die beiden Wölfe sahen den aufgespannten schwarzen Regenschirm und blieben stehn. Jakob riß den Schirm aus Martins Hand und ging mit kleinen unsicheren Schritten auf die Wölfe zu. Ich lief zum Wagen und nahm Jakobs Regenschirm. Ich ging mit dem aufgespannten Schirm mit noch kleineren Schritten neben Jakob her. Die Wölfe kehrten uns den Rücken zu. Sie liefen heulend durch den Schnee, den sie zertreten hatten, über den Fluß ins Tal. Wir stiegen mit den aufgespannten Regenschirmen auf den Wagen. Wir fuhren zurück ins Dorf. Ich brannte, als wir eine Weile fuhren, die Sturmlaterne an. Sie schaukelte mit ihrem schwachen Licht zwischen den Rädern. Martin lag hinterm Sitz mit dem Gesicht auf einem Bündel Stroh und schlief. Er krümmte sich. Als ich eine Decke über seine Füße legte, zitterte sein Rücken. Ich hörte durch den Rücken seines Wintermantels ein Lied. Es war sehr laut und war kein Lied. Als wir am Dorfrand um die Mühle fuhren, fing es mit großen und zerzausten Flocken an zu schnein. Im Hof blies ich die Sturmlaterne aus und Jakob schüttelte den Schnee von unsren großen schwarzen Regenschirmen. Ich hob Martin aus dem Wagen und trug ihn schlafend in sein Zimmer. Er spürte nicht, daß ich ihn trug. Ich legte ihn im Mantel in sein Bett. Am Morgen, als ich in sein Zimmer kam, lag Martin wach im Bett. Er fragte, ob wir bei der Tante Leni sind. Ich sagte: Nein. Ich zog ihm seinen Wintermantel aus. Seine Socken waren naß vom Schnee. Als ich sie von seinen Füßen zog, weinte er und wehrte sich. Jakob schrieb an jenem Morgen, als der Schnee am Dachstuhl runterrutschte und in den Schnee des Hofes fiel, seiner Schwester einen Brief. Er schrieb mehr mit dem Gesicht als mit der Hand. Ich sah seinen langen Zeigefinger, als er den Brief zum dritten Mal und immer lauter vorlas und mit der Fingerspitze über jede Reihe strich, die er geschrieben hatte. Er las, daß wir im Frühjahr kommen werden, daß der Schnee die Wege jetzt verweht, daß der Nachbar, als er um Holz im Wald war, von den Wölfen fast gefressen worden wär. Jakob faltete den Brief. Ich dachte an das Lied, das Martins Rücken durch den Wintermantel auf dem Weg ins Dorf gesungen hatte. Jakob tat den Brief in einen Umschlag und sagte: Das wird Lenis Ende sein, daß sie im Winter stirbt, weil sie taub ist, keiner sie besucht, und wenn sie tot ist, keiner aus dem Dorf sie findet.

Am Bahnhof standen noch vier Väter, und vier Söhne, und vier Koffer. Martin war der fünfte. Als der Zug wegfuhr, winkten sie mit beiden Händen. Sie winkten und sie sangen. Das Singen wurde leise und verstummte. Nur die Hände winkten noch, neben dem Zug, im Rauch.

Wir sprachen selten über Martin. Wenn wir es taten, war es nicht über ihn gesprochen. Wenn wir es taten, war es immer nur ein kurzer Satz darüber, wo er jetzt wohl schläft, und was er jetzt wohl ißt, und ob er jetzt wohl friert. Und eines Nachts, im Winter, ging Jakob durch das dunkle Zimmer und legte seine Decke auf den Stuhl. Im Kachelofen schimmerte noch Glut. Ich sah Jakob ohne Decke zu seinem Bett zurückgehn, und sah wie er sich ohne Decke auf das weiße Leintuch legte. Ich hörte, wie er seufzte und nicht schlief. Da setzte ich mich auf in meinem Bett und sagte: Die Drossel war am Tag, als Martin ging, so groß, daß sie den Hof verdeckte. Sie sang so laut. Sie hat die Welt verrückt gemacht mit ihrem Krieg. Sie fliegt seit Monaten und hört nicht auf. Auf dem Weg zum Bahnhof hat Martins Rücken zwischen dir und mir ihr Lied gesungen. Jakob drehte das Gesicht zu mir und schrie: Was redest du vom Krieg und von der Welt, du hast doch nichts gesehen von der Welt. Ich weinte still, daß es ein Schweigen war. Jakob schwieg und seine Augen glänzten.

Als das Frühjahr kam, waren wir viel im Garten und im Hof. Jakob saß täglich im Kleegarten auf einem Baumstumpf in der Sonne. Oft drehte er die Sichel in der Hand und schloß die Augen.

Einmal, als es schon Sommer war und heiß, saß er so lange mit geschloßnen Augen auf dem Baumstumpf, daß ich dachte: Er muß eingeschlafen sein, ich geh ihn wekken. Ich ging durchs Gartentor und durch den Klee zum Baumstumpf hin. Als ich die Hand auf seine Schulter legen wollte, riß er die Augen auf und schrie: Seit wann stehst du da. Er hatte nicht geschlafen. Er hatte, weil er taub war, meine Schritte nicht gehört.

Der Herbst war warm. Die Blätter glühten auf dem Hügel. Der Postmann reichte Jakob eine Feldpostkarte übern Zaun. Jakob ging damit ins Zimmer. Er setzte sich an den leeren Tisch und las. Er las die Karte dreimal vor und immer lauter, weil er beim Lesen seine Stimme nicht mehr hörte. Ich saß neben ihm am Tisch. Ich sah das Bett. Ich sah Martins weiße Schafwollsocken auf dem Leintuch liegen. Sie waren naß vom Blut. Als ich sie von Martins Füßen ziehen wollte, wehrte er sich.

Leni war seit dreizehn Jahren tot. Jakob deckte sich seit jener Drosselnacht nie wieder zu. Als der Winter kam, blieb er auch am Tag im Bett. Er röchelte und spuckte Schaum. Er starb in diesem Winter, in dem der Schnee aus Erde war und, wenn er unser Dorf berührte, gleich zerfloß. Das Dorf war so dreckig und so schwarz in diesem Winter, daß es wie ein Käfer im Mist der Erde wühlte.

Ich habe nichts gesehen von dieser Welt, darum versteh ich nichts. Nur denk ich so für mich, wenn ich das Laub über dem Hügel seh, daß unser Dorf so klein geblieben ist im großen Krug. Und keiner suchts und keiner findet es. Und für die Welt wars nur ein Angebot im Krieg.

Die Wolken schwimmen jeden Morgen durch das Laub. Sie sind ein Blutband überm Hügel.

Wer glaubt mir, daß es an der Drossel liegt, daß Martin starb.

An diesem Tag

An diesem Tag – es war ein Schultag, denn Inge kam aus der Schule nachhause und seifte sich die kreidigen Hände ein – an diesem Tag, als die Kreide, wie an allen Tagen nicht von den Händen wich, als sich der Seifenschaum an den Fingern in zahllosen Bläschen dick bauschte wie ein Geschwür, und sich zerrieb und sich vorbeiwusch, ohne die Haut zu berühren; an diesem Tag, als die Küche ein Schutthaufen war aus Tellern und Messern, und Kannen, und Töpfen, und Schüsseln, und Gläsern, die aus sich selbst lärmten und sauer rochen; an diesem Tag, als das Zimmer zerwühlt war vor lauter gebückten, geschrumpften, zermürbten Kleidern der Arbeit; an diesem Tag, als Bücher und Papierfetzen zerfleddert und aufgeschlagen auf den Möbeln lagen, als Inge nur verknotete, schwere Sätze im Kopf trug; an diesem Tag tat Inge etwas, was sie schon immer hatte tun wollen und bisher nicht getan hatte, weil sie nicht wußte, was es war.

Inge nahm das Geschirr aus der Küche und stellte es ins Vorzimmer. Das Geschirr ist neutrum, sagte Inge vor sich hin. Sie nahm die Flaschen aus der Abstellkammer und stellte sie in die Bibliothek. Die Flasche ist feminin. Sie nahm die Bücher von den Möbeln und stellte sie in die Abstellkammer. Das Buch ist neutrum. Sie nahm ihre Handtasche und stellte sie in den Kühlschrank. Die Handtasche ist feminin. Sie stellte ihre Schuhe auf den Tisch. Der Schuh ist maskulin. Sie schnitt die Blumen über dem Topfrand ab und schmiß sie in die Klomuschel und zog das Wasser. Die Blume ist feminin. Sie zerbiß einen Klumpen Erde aus dem Blumentopf. Die Erde ist feminin. Sie strich sich ihren grünen Lidschatten über die Lippen. Sie strich sich ihren blauen Lidschatten über die Wangen. Inge riß die Wohnungstür auf. Sie setzte sich ins Vorzimmer neben das Geschirr auf die Fliesen. Sie saß auf den Fliesen und starrte ins Nichts. Das Nichts ist neutrum, sagte Inge vor sich hin.

Als Inges Freund an jenem Abend dieses Tages zu ihr kam – damals kam er noch –, stand er reglos und gekrümmt in der offnen Tür.

Sie ist verrückt, sagte er laut vor sich hin. Geworden sagte er nicht dazu. Inge schaute starr auf seinen Mund. Wie er das sprach. Und sein Gesicht stand rund herum um den Mund, der in der Mitte war.

Inge saß vor ihm und grub die Hände unter das Geschirr.

Der Freund ist maskulin, sagte Inge durch die leere Tür.

Die kleine Utopie vom Tod

Wenn ich über den Feldweg ging, dann war mein Körper leer.

Der Wind bringt einen Erdhauch übers Grab.

Wenn ich über den Feldweg ging, flatterten meine Röcke vom Gehen. Über den Feldern war kein Wind, sagt Großmutter. Ich ging durch die grünen Rinnsale der Pflanzen. In meinen Ohren rauschte es und mein Gehirn war schwer, weil ich so arm war, vor den großen Feldern meines Mannes, weil ich die Hände krümmte und an den Fingern nur die Knochen spürte, weil ich an diesen Knochen klebte, wenn ich ging.

Großmutters Grabstein trägt ein Bild von ihr.

Mein Hochzeitsrock war schwarz und schwarze Bänder hatte meine Bluse. Und der Altar war groß und kalt, sagt Großmutter. Das Opfergeld fiel aus den krummen Händen und klimperte im Teller. Da trug ich schon das glatte Gold als Ring um meinen ahnungslosen Finger. Drei Wochen lang mußte noch Zeit vergehen, bis ich sechzehn war. Großvater stand neben mir mit nassem Stahl im Blick und schaute in die menschenvolle Kirche, als schaue er über sein Feld.

Hinter den Gräbern sind die Felder flach und weit.

Als der Hochzeitszug über die Straßen ging, war es kein Menschenzug. Großvaters Stallknecht hatte einen viel zu kleinen Anzug an. Seine Handgelenke waren nackt, sagt Großmutter. Er schlug mit kurzen und zerplatzten Ärmeln hinter mir die dicke Trommel. Großvater ging neben mir und war mir doch drei Schritte voraus. Wir gingen eingehängt. Mein stiller Arm reichte schon damals nicht für seine Schritte. Sein Rock war schwarz, sein Rücken war so breit, daß ich mir dachte: Der verdeckt mich ganz, der frißt mir beide Brüste und den Hals. Der frißt mir beide Wangen, wenn er mich berührt.

Großmutter schickt ihre Ameisen mit einem toten Regenwurm zum Nachbargrab.

Die Musik flog übers Dorf zum Friedhof hin. Die Schwalben waren nicht zuhause in der Luft. Sie folgen in den Himmel hoch hinauf, sagt Großmutter, in unsichtbare Wolken, die nicht mehr zum Dorf gehörten. Ich trug den Lilienstrauß vor meinem Bauch und sah die Blattläuse blaßgrün und zögernd durch die Blüten kriechen. An meinem Kinn klebte der Lilienduft, wie spät am Abend, wenn die Sonne nichts mehr sieht und die Gesichter nur noch Augen sind, die glänzen. Die wissen, daß der schwere Blumenduft den Toten in die Särge rinnt. Ich zog den Hochzeitszug hinter mir her. Großvater sprach lange Sätze über Joch, Ar und Hektar. Der Trommelschlag des Stallknechts brach die Stimmen. Ich sah die Luft zwischen den Bäumen zittern. Wir gingen in das große Bauernhaus, das seine Fenster in die Seitenstraße drückte, weil es ein Eckhaus war. Im Schreck der blanken Fenster sah ich mein Gesicht von einem Fensterkreuz zum andren gehn.

Im Storchkraut hinter der Kapelle schimmert Wasser und verzerrt das Licht.

Gehend sagte ich das Wort: zuhause vor mich hin, bis eine Blattlaus schwindlig und betäubt vom Trommelschlag von meinem Finger fiel und vor dem großen Bauernhaus nicht mehr zu sehen war, sagt Großmutter. Mein Schatten schwebte neben mir. Als ich ihm meine Schuhe gab, ging er auf der Erde, war lang und schwarz und färbte auch das Gras, das grüne Fell.

Über der Kapelle wächst der Turm und um das Kreuz, das in der Luft kein Ende findet, rosten aufgewühlte Wolken.

Als wir in den Schattenflecken der Veranda zwischen

dem Holz der Weinreben um das lange Tischtuch saßen, stellte eine dürre Frau die Suppenschüssel vor mich hin. Sie nahm den Lilienstrauß aus meiner Hand, sagt Großmutter. Ihr Gesicht war wie ein Weidenkorb. Als sie es vor mich beugte, sagte sie: Gib mir den Strauß, er ist schon welk. Er zeigt, wie müde deine Augen sind. Sie hatte keine Augen und ihr Mund war schmal. Als sie schon von mir weg und durch die Schattenflecken wollte, beugte sie rasch, als ob ihr Hals gebrochen wär, nochmal den Weidenkorb zu mir herab und sagte mir ins Ohr: Deine Schläfen sind wie Stein. Du bist nicht froh. Ich schaute auf meinen Finger mit dem glatten Gold und sagte leis, um nicht zu merken, daß ich Lippen hab: Ich möchte sterben. Die schlafwandelnde dürre Frau fächelte mit dem Lilienstrauß vor ihrem weggeschwemmten Mund den Dunst und sagte unter ihrem dichten Haar: Ich auch. Dann ging sie in die Schattenflecken mit dem Strauß und ließ den Lilienduft in meinen schwarzen Kleidern.

Das Grabsteinbild ist heiß.

Der Pfarrer aß ein ganzes Huhn und Meerrettich in dickem Rahm. Großvater sagte: Euer Hochwürden, da ist noch Schweinefleisch. Der Pfarrer aß ein Schweineherz mit Messer und mit Gabel, mit roten Kirschen und dem Saft aus Zucker und aus Blut, sagt Großmutter. Und als er Wein trank, stieg ein heißer Furz durch seine Kutte, kroch um den Stuhl, auf dem ich saß und stank nach Galle. Großvater sagte: Euer Hochwürden, da ist noch Schnaps.

Das Grabsteinbild hat eine runde Stirn.

Die Leute sprachen laut mit vollem Mund. Ich sah den kleinzerkauten Fleischbrei auf den Zungen kleben. Der Stallknecht schleppte einen Ballen Gras über den Hofrand in den Pferdestall. Die Frauen saßen starr auf harten Stühlen und kauten Teigschnecken und Zuckerguß. Der Speichel war in ihren Mundwinkeln so grau wie Straßenstaub. Vor der Scheune saßen Männer zwischen Flaschen und sangen durch die Einöde und Dämmernis Soldatenlieder, sagt Großmutter. Die Hühner gingen drahtig durch den Hof. Sie hatten aufgepumpte Federn. Ihr Gackern war zerrissen und die Hähne krähten nicht an diesem Tag. Sie öffneten die Schnäbel wie im Traum. Im lautlosen und rauhen Dunst der Kehlen tranken sie die Dämmerung. Die Kämme hingen ihnen um die Augen.

Das Grabsteinbild hat eine weiße Hand.

Als Großvater die erste Nacht neben mir schlief, hörte ich durch die Dunkelheit des Hofes seine Pferde atmen, sagt Großmutter. Sie atmeten wie er. Ein Pferd hatte sich mit weißen Nüstern unter sein Hemd in seine Brust geschlichen. Das Pferd war scheu und meine Hände hatten Angst vor seinem Körper. Ich wand den Zopf dreimal um meinen Hals, daß er um meine Haut wie eine Natter lag, legte das Zopfende hinter mein Ohr und sagte: Natter, such dir eine Ader aus und trink. Mein Blut ist wach, du wirst nicht schlafen, wenn der Tag das Fenster bricht. Großvater wachte auf, als es schon dämmerte. Er stieg auf mich. Ich spürte unter meinem Bauch ein hartes Feld. Großvater hetzte über seine Erde und er pflügte mich. Als er stockend keuchte, wußte ich: Jetzt streut er seinen Gurkensamen aus. Der Damast verhüllte mich und glänzte matt. Am Fensterkreuz summten sich die ersten Fliegen tot. Die Hähne krähten durch den Nebel und der Tag war wach. Großvater gähnte und zog einen Stuhl voll Kleidern an. Er schaute in das Zucken seiner goldnen Taschenuhr und ging im Morgengrau in den Schatten der Register, in die Evidenzen, in die genauen Zahlen seiner Knechte. Stumm und erntesüchtig bewachte er sein Feld auf dem Papier.

Das Grabsteinbild hat ein verknäultes Ohr.

Am Mittag zählte Großvater die Hühner. Es fehlten drei. Sie hatten sich verirrt und kamen nie mehr wieder. Eins fand ich nach drei langen heißen Tagen tot hinter der Scheune liegen, sagt Großmutter. Aus seinem Schnabel krochen Ameisen. Zwischen seinen Schenkel unter dem Federstrauch des Schwanzes war ein Darm herausgedrückt. Der Muskel um den After war zerrissen. Ich dachte an den schon drei Tage alten Gurkensamen in meinem Bauch. Ich lehnte an der Scheune.

Das Grabsteinbild hat einen schwarzen Mund.

Einen Sommer lang und einen welken Herbst lang wuchs mein Bauch. Ich ging und ging und sah die Erde nicht. Ich schaute mich an toten Nachmittagen im Zimmer vor dem Spiegel an, sagt Großmutter. Ich ließ die Fingerspitzen auf den blauen Adern gleiten und auf den Brustwarzen ließ ich sie Kreise ziehn. Vor dem Spiegel fiel mir ein, was in der Kirche auf dem höchsten Balken in der kalten Himmelswölbung steht: Komet ale zu mir die ihr müselig und beladen seit ich wil euch erquiken. Ich pflückte hinterm Brunnen einen Rosenstrauß und ging im Schatten meines Bauches durch das leere Dorf. Die Kirchentür stand offen. Die Schrift war hoch, der Schimmer reichte nicht zu mir herab. Vor der Kirche stand eine Leiter unterm Lindenbaum. Der Pfarrer stand im Schatten auf der letzten Sprosse oben wie ein ausgewachsner Hahn. Als er mich sah, streckte er die Arme in die Luft, als wolle er über den Kirchgarten flattern. Er sagte: Oh, die junge Frau. Wohin des Weges. Ich sagte: Auf den Friedhof, Euer Hochwürden. Der Pfarrer lächelte: Junge Frau, die Toten brauchen unsre Pflege nicht. Euer Hochwürden, unser Gebet, stotterte ich. Der Pfarrer schaute lang auf meinen Bauch: Sie hörens nicht. Die Toten haben keine Seele, junge Frau, sagte er leis. Ich schaute auf die leeren Leitersprossen: Euer Hochwürden, Sie sündigen, wenn Sie so reden, sagte ich. Ich hielt den Rosenstrauß vor meinen Bauch. Der Pfarrer sagte: Nur die Wolken kommen in den Himmel, junge Frau.

Als in einer Nacht im neuen Jahr der Schnee wie Glut und Kerzen in allen Farben auf meinem Körper brannte, lief der Stallknecht aus seinem seichten Schlaf im Stall, halb im Traum und ganz mit Stroh behangen, durch die Straßen dieser Nacht und durch den Hundeatem. Die Hunde holten ihn ein und zeigten ihre nassen Zähne. Vor einem Haus am Dorfrand blieb der Stallknecht stehn. Er klopfte mit den Fäusten an das Holz der Fensterrahmen und schrie mit kalten Lippen durch die Eisblumen der Fensterscheiben. Von der Dachrinne des Hauses fielen Eiszapfen auf seine Schultern und auf seine Schuhe. Die alte Hebamme hob ihr fettverwachsenes Fleisch aus dem Federdunst des Bettes und trat mit zerzaustem Haar und mit geblähten Wangen hinter dem zitternden Petroleumlicht ans Fensterkreuz. Als sie zwischen Eisblumen das Gesicht des Stallknechts sah, schrie sie: Ich komm.

Das Grabsteinbild hat ein graues Kinn.

Sie kam in ihrem schwarzen Schultertuch. Hinter dem Geknäuel der Fransen liefen die Hunde im bellenden Dunst durch den Schnee. Die Hundeschar blieb jaulend vor der Haustür stehn. Ich preßte während der Geburt stumm meine Lippen aufeinander, denn das Gejaul der Hunde war mein Schmerz und flog weit in die Nacht hinaus, über den Schneesturz der Gegend. Die Hebamme bewegte lange Stricknadeln und krumme Scheren. Mein Blick war schwach und blieb an den Fransen ihres schwarzen Tuches hängen. Als die Hebamme das Kind aus meinen Schenkeln hob, waren ihre dünnen Hände blutig. Ich sah das Kind an und ich sah auf seinem Gesicht die feinverzweigten Einsamkeiten aller, die in kleinen und geduckten Häusern lebten. In blauen Aderkränzen flossen meinem Kind die Einsamkeiten über das Gesicht. An seiner Schädeldecke pochte die Einsamkeit des Selbstmordes der jungen Magd, an den Schläfen zuckte die Einsamkeit des Brotbackens meiner halbgelähmten Tante, über die Wangen schlich die Einsamkeit des Knopfannähens meiner tauben Großmutter und um die Lippen schimmerte die Einsamkeit des endlosen Kartoffelschälens meiner scheuen Mutter.

Das Grabsteinbild hat eine schmale Nase.

An der Kinnspitze des Kindes strahlte ein lebender und heißer Fleck. Der war die Einsamkeit meines Körpers im Gebären. Und wo das Strahlen zu mir reichte und mich verbrannte und mich kühlte, war der Fleck die eigne Einsamkeit des Kindes, das, obwohl es atmete, die Welt nicht fand. Die alte Hebamme wusch die Stricknadeln und krummen Scheren in Laugenschaum und blauem Spiritus. Die legte sie der Größe nach in einen Weidenkorb. Sie schaute mit den Algen ihres Blicks in ein Nadelöhr und zog den weißen Dochtfaden durch meine Haut. Ich sah den eingerißnen Aftermuskel des toten Huhns. Der Stallknecht brachte einen Eimer mit kochendem Wasser. Er schaute, während er den Eimer an den Tischrand stellte, mit schwachem nassem Blick auf meine blutbeschmierten Schenkel. Die Hebamme steckte die Nadel in ihr schwarzes Tuch. Als sie schon halb im Gehen war und noch ein grobes Tuch auf ihrem Weidenkorb verteilte, sagte sie: Dein Kind ist kräftig und gesund, aber der Schnee ist tief in diesem Jahr. Und weil dein Kind in diesen Schnee, und nachts, und in den ersten wunden Tagen eines neuen Jahrs geboren worden ist, wird es traurig in den Knochen sein und tiefsinnig durchs Leben gehn. Im Winter wird es frieren und in den Sommer wird es nicht gehören und viel schlafen. Und träumen wird es, daß die Hitze schreit. Und mehr als alle Menschen, die es gibt, wird es die Menschen lieben, die es nicht mehr gibt, die Erde, die man in der Stirn trägt, wenn man in Gedanken gräbt, die Erde wird es lieben, die unter der Erde liegt.

Das Grabsteinbild hat einen stillen Atem.

Das Kind, das ich in dieser sturen Winternacht geboren hatte, war ein Mädchen. Großvater ging laut und mit sich selber redend, zornverzerrt über das Eis im Feld, sagt

Großmutter. Er haßte die Knechte, die das Futter brachten für sein Vieh. Er aß nicht mehr und haßte sie, weil sie Männer waren und zuhause Söhne hatten. Großvater sagte: *dein Kind* zu mir, sagte: Tauft sie Löffelstiel, tauft sie, wie ihr wollt und ohne mich.

Das Grabsteinbild hat eine tiefe Stimme.

Großvater starb eines Tages noch sehr jung und ohne mir zu sagen, wie es ist, wenn man den Tod hinter den Rippen spürt. Er fiel in einen Sommertag, fiel aufs Gesicht. Er übergab der Erde sein Gewicht und hörte auf zu hassen und zu schaun. Er ließ sein großes Feld im Stich. Die Register schimmelten, die Zahlen fraßen Staub, die Rechnungen versteinten. Die Erde trieb gehorsam Ernten in die Scheunen. Die Knechte schunden ihre Hände und sprachen nicht mit mir. Ihre Söhne aßen frisches Brot und wurden groß. Und meine Tochter hieß nicht Löffelstiel, doch sie war scheu und ängstlich wie die weißen Nüstern des versteckten Pferdes aus Großvaters Brust. Abends auf den Bänken sang sie keine Lieder. Sie schaute nur und horchte, wie die andern sangen. Der Sohn des Stallknechts stand oft neben ihr. Er hatte von der Armut scheue Augen und von der Arbeit eine leise Stimme. Ich sagte meiner Tochter: Der ist scheu und leise wie ein Mensch. Der hat kein Pferd mit weißen Nüstern in der Brust. Der pflügt dich nicht.

Das Grabsteinbild hat einen Schattenriß.

Hinterm Haus blühte die Königskerze. Sie war verzweigt und fingerdünn gedreht wie die zerbrochene Hand der Welt. Gelb wie die Sonne war sie nicht, sagt Großmutter. Ich wollte einen Sommer lang ein Blumenbeet, das nicht ein Stück vom Feld ist, sondern vor der Tür des Hauses schon ein Grab. Ich pflanzte Schleierkraut mit Wurzelstökken. Und immer, wenn es regnete, schwamm es durch den Hof wie ein zerfreßner Fisch und stank und klebte sich wie Sargtuch an die Waden. Das Schleierkraut wuchs nur

durch einen Sommer. Der Herbst zersetzte es, der Winter
grub es ein im Schneegestöber. Als das Frühjahr kam,
wuchs Weizen aus dem Beet, war vor der Tür des Hauses
schon ein Feld, trieb eigensinnig Körner in die Ähren. Die
Erde war verdammt und war verformt von Nutzen und von
Gier.

Großmutters Grabstein wächst. Das Moos verändert
seine Haut wie eine Krankheit. Großmutter geht barfuß am
Ende der Welt mit eingezognem Kopf und schwerem Haar.
In jeder Hand hält sie den Totenschuh. Die Absätze sind
schief vom Wassersog. Auf ihrem Grab ist Erde wie ein
Feld und wie auf Wiesen wiederholen sich die Blumen
Jahr um Jahr. Die weißen Lilien blühn, faulen, schicken
ihren Duft voraus unter mein Kinn, in meinen Mund, in
meine Zähne mit dem weißen Grabsteinporzellan.

Die Wolken drücken sich in Wanderdünen um den
Turm, sind schwarz von meiner Friedhofsangst und weiß
vom Liliensog.

Großmutters Wange rötet sich im Abend an der Som-
merwand. Im Schlehenholz wächst ihr die Wirbelsäule
durch das Blatt, wächst ihr die kleine Utopie vom Tod aus
der Geborgenheit der blinden Erde.

Das Grabsteinbild hat kein Gesicht.

Der Sommer wandelt sich. Das Trostgras blüht.

Großmutter hat kein Grabsteinbild.

Großmutter hat eine Wolke und ein Grab.

Diktator oder Hund

Wo ist dein Kopfband, Mädchen.

Laß dein Haar nicht falln. Verlier es nicht. Wenn du erschrocken bist, deckts dir die Augen zu. Du wirst es brauchen.

Deine Armnummer, Junge. Zeig mal den Ärmel her.

Dein Pulsschlag hängt am Handgelenk. Dein Arm fängt an der Schläfe an. Er atmet. War er schon einmal müde.

Mit diesen Schuhen. Nein. Oh, wenn ich deine Mutter wär.

Das Parkett ist neu. Es ist ein Schindeldach. Wenn dir was auf die Ferse fällt, mein Kind, dann halt die Schläfe hin.

Zeig deine Fingernägel. Eine Schande. Hat deine Schwester keine Augen.

Deine Hände haben schon den Griff. Der Dreck wird bleiben, wenn du jahrelang gewachsen bist.

Wo warst du gestern. Ja, mein Lieber. Hat dein Bruder keinen Mund.

Die andern und dein leerer Platz. Als ob du einen halben Tag gestorben wärst. Hast du im Fieber oder, vor dem Haus, im Sand einen Beruf gespielt. Diktator oder Hund.

Mensch, sag doch was.

Paß auf: Mitmachen, das ist aus mit und machen. Ein Beispiel: Alle machen mit. Du wirst die Schafe hüten, wenn du das nicht lernst.

Dein Glück.

Jetzt heb die Kreide auf.

Das Lied vom Marschieren

Immer, wenn der Sonntag, wie Vater sagte, an den Himmel kam, fand Vater diese Splitter in der Suppe. Vater hatte als deutscher Kriegsheld drei davon in den Lungen. Sie wanderten. Vater hatte Angst, daß sie ihm eines Tages ins Herz wandern würden. Dann ists aus, sagte Vater.

Einmal kamen die Splitter Vater ins Gesicht, und Vater rasierte sich mehrere Tage nicht.

Vater legte, wenn ich hinschaute, den Löffel auf die Splitter, oder vergrub er sie unter einem Knödel oder unter einem Stück Gemüse. Beim Abwasch klirrten die Splitter laut in seinem Teller.

Einmal waren wir bei Vaters Schwester zu Besuch und bekamen eine leere Suppe vorgesetzt. Vater fand wieder die Splitter in seinem Teller. Weil er sie nicht unter einem Knödel oder unter einem Stück Gemüse vergraben konnte, schluckte Vater die Splitter. Alle hatten ihre Teller leer gegessen und die Suppe meiner Tante gelobt.

Nach dem Essen tanzten die Frauen miteinander. Meine kleine dürre Mutter tanzte schwitzend mit meiner dicken Tante. Die Schwester meines Vaters lachte, und die ganze Zeit zitterten ihre Wangen.

Die Männer waren am Tisch geblieben und sangen deutsche Soldatenlieder. Wenn die Frauen vorübertanzten, klatschten die Männer ihnen auf die dicken hüpfenden Ärsche. Die Frauen lachten laut, taten noch hüpfendere Schritte im Tanz und bewegten die Arme auf und ab. Vater schlug mit seiner großen Hand auf der Tischplatte den Takt: Und meine Braut die Edeltraut, die ist genau wie ich.

Als es dämmerte, stand Vater auf und sang stehend und mit zitternden Lippen und roten Augen das Lied vom Marschieren. Meine Tanten wiegten die kleinen Köpfe und hatten feuchte Augen.

Bei der dritten Strophe krümmte Vater sich.

Seither waren wir jedes Jahr bei Vaters Schwester zu Besuch und bekamen eine leere Suppe vorgesetzt. Nach dem Essen tanzten die Frauen miteinander. Meine Mutter saß jedesmal blaß und frierend in einer Zimmerecke. Ihre Augen wurden naß, und sie schnupfte lauwarme Tränen, die sich durch ihre Nase drängten, jedesmal wieder hinauf in die Stirn. Sie zerknüllte das Taschentuch in ihrer erfrorenen Hand, schluchzte, daß mein Vater für sie unvergeßlich, für sie immer noch derselbe sei. Auch die Schwester meines Vaters sank auf einen Stuhl und weinte lange Sätze. Und ihre Wangen zitterten in den ertränkten Wörtern.

Die Männer, die am Tisch geblieben waren, sangen Soldatenlieder. Jedesmal, wenn es dämmerte, erhoben sie sich. Sie standen um den Tisch. Von ihren roten Augen lag ein tiefer roter Schimmer auf dem Tischtuch zwischen ihren großen Händen. Sie schauten starr in diesen roten Schimmer und sangen mit zitternden Lippen das Lied vom Marschieren.

Jedes Jahr krümmte sich einer bei der dritten Strophe und starb.

Letztes Jahr waren wir wieder bei Vaters Schwester zu Besuch und bekamen eine leere Suppe vorgesetzt. Nach dem Essen standen die Frauen auf, und der Tisch war leer. Jede Tante setzte sich blaß und frierend in eine Zimmerecke und weinte, und drückte das Taschentuch über die lauwarmen Tränen, übers Gesicht, und schluchzte, daß ihr Mann für sie unvergeßlich und immer noch derselbe sei.

Als es dämmerte, erhoben sich die Frauen aus den Zimmerecken und stellten sich rund um den Tisch. Und durch die Lücke der halbgeschlossenen Schranktür klang vom Tonband das Lied vom Marschieren. Meine Tanten standen stumm und reglos da. Bei der zweiten Strophe summte meine kleine dürre Mutter mit. In ihrem Mundwinkel bewegte sich ein schwacher Schatten. Bei der dritten Strophe summte Vaters dicke Schwester mit. Auf ihre Wange zitterte das Lied und ihre Stirn war blaß. Bei der vierten Strophe summte meine dickste Tante mit. Sie atmete laut in das Lied und auf ihren Brüsten schillerten die Knöpfe über ihren schmalen Goldrand wie Medaillen.

Als das Lied zuende war, stand Vaters Schwester vor dem Schrank. Ihre Hände waren schwer vom Dämmerlicht und mit den stummen Fingerspitzen drückte sie die Schranktür zu.

Das Summen hing noch lange in der Zimmerluft. Das Summen war schon eintönig und müde. Und grenzenlos wars in der Dämmerung.

Wenn ich mich tragen könnte

Was soll ich anziehn, wenn der Schnee im weißen Anzug fällt. Der Wolkenrand ist bleich. Da hört die Nähe und die Ferne auf. Wie solln wir uns berühren.

Vielleicht ist diese Stadt nicht anderswo. Nicht hier. Nicht dort.

Mein Knöchel hält sich an der Straße fest. So ist unter der Sohle noch ein Schuh. Die Augen haben Winkel. Und die Straßen. Die Häuser Ecken. Aufgebahrt und schräg, schief meinen Augen zugewandt wie Dächer liegt der Schnee.

Warum geht das Mädchen mit dem rotgehauchten Haar, im schwarzen Netz die Waden eingespannt, den Gang über die Brücke. Wie hinter seiner Ferse bodenlos die Straße bricht. Der Fluß ist alt. Das Wasser ist ersoffen.

Was zeigt der junge Mann mit seinen Händen. Warum flattert ihm die grüne Strähne an der Schläfe. Er redet vor sich hin. Ist mit sich selbst nicht mehr allein.

Der Trödler hält die Zigarette hinterm Rauch. Bläst sich ein Stückchen Wange fort aus dem Gesicht. Sein Mund hat beide Winkel und hört auf. Sein Blick steht still. Ich schwimm vorbei an dunkel dicht erhängten Kleidern.

Was soll ich anziehn um das fremde Geld. Ich hab gesagt, daß ich mir ein Gedächtnis bin, das sich nicht tragen kann und dafür Geld bekommen. Ich kann es halten mit der einen Hand und mit der anderen den Stoff berühren. Ich kann die Fingerspitze in das Knopfloch tauchen, auch wenn der Knopf mir nicht gehört.

In der Fensterscheibe kann ich meine Ohren sehn.

Fast hätt ich mir den Schmuck gewünscht, der mir den Hals entlang und um die Kehle wankt.

Was ist das für ein Land, das an den Fingern reißt, wenn man den Koffer hebt. Das man zwischen den Augen sieht, weit über dem Gehirn wie draußen überm Feld. Das eine Sprache von weither, und in der eignen Sprache eine Färbung wird, wenn man gegangen ist.

Was ist das für ein Gegenstand, der, wenn man ihn verlassen hat, wie eine Kugel wird.

Und wenn ich reden könnte, flüstern, sagen, schrein. Und wenn ich rufen könnte, winken, schweigen, schaun. Was würde sich, wenn ich mich tragen könnte, unterm Knöchel ändern und nicht nocheinmal derselbe Schuh für meinen Körper sein.

Der Obstverkäufer pfeift ein Lied. Orangen sind aus weichen Poren. Seine Wangen ein Gesicht. Die Waage hat sich rasch für eine Zahl entschieden. Jetzt rechnet er im Kopf. Das Kleingeld blinkt, als ob ich zählen könnte.

Der Abend wird mit mir hinter dem Tisch unter der Lampe sein. Die Wand ist weit. Drei Nonnen gehn im Ölbild durch den Spiegel.

Ich werd am kurzen Tischrand sitzen, weil ichs nicht wage, an dem langen Rand die Hände umzudrehn. Ich werd durchs Zimmer gehn. Die Tränen mit den Fingerspitzen unterm Aug verteilen. Als gäb es keinen Grund.

Im Spiegel werden die Orangen stehn.

Wie eß ich die Orangen von der Waage, wenn neben meiner rechten Hand, senkrecht, das Messer liegt.

Viele Räume sind unter der Haut

1.

Hinterm Schrank ist die Wand eine Schlucht. Hinterm Schrank reden die Soldaten. Ihre Köpfe sind in die Schlucht gehängt.

Die Soldaten wohnen seit drei Tagen hinterm Schrank. In der Wand und im Nachbarhaus. Matthias weiß, wie groß ihr Zimmer ist. Wie ihre Betten stehn. Bett über Bett. Immer darüber. Hoch an der Wand. Matthias weiß, wie sich die Soldaten schlafen legen. Bett über Bett. In den Kleidern. Wie Feldhüter sich auf den Schloßberg legen.

Die Zeit der Soldaten kommt morgens ins Zimmer. Ist immer dieselbe Zeit. Des Pfeifens. Des Rufens. Die Zeit des Apfelessens mit gesunden Zähnen. Kauen und Lachen. Die Zeit der Soldaten ist immer die Zeit des Trinkens und Torkelns. Des Fluchens zwischen Bäumen.

Die Schlucht hinterm Schrank. Matthias spürt ihre Tiefe. Und seine Rippen. Es ist Nacht. Und schon Morgen. Es ist heute schon morgen. Und morgen schon Tag.

Immer entfleischt sich das Gesicht. Läßt die Wangen los. Läßt die Augen in die Schlucht. Hält die Lider. Alleingelassen im Zimmer. Immer läßt das Gesicht die Knochen auf dem Kissen stehn. Erschrocken, wie ein Reh den Wald verliert. Verirrt sich. Viel zu schwer für das Nasenbein. Das mit den seichten Höhlen.

Die Stechmücke hat sich vollgesungen. Der Tag ist die erste wache Stunde. Der erste Geruch im Mund.

2.

Matthias hört die Stechmücke singen. Seine Augen sind geschlossen. Sein Gesicht schläft. Matthias schläft nicht.

Die Stechmücke singt unter seinen Lidern. Das Lied rinnt in seinen Kopf. Seine Wimpern zucken.

Die Stechmücke weiß nicht, was ein Lied ist. Die Stechmücke weiß, was eine Stirn ist. Eine Schläfe mit dem Schlag unter der Haut. Weit und langsam. Wie aus anderen Tagen.

Viele Räume sind unter der Haut. Kleine Zimmer. Alle aus Fleisch. Und bewohnt.

Der Schloßberg pumpt. Wenn man sein Blut nicht sehen kann, darf man sich nicht schneiden, hat Matthias Mutter gesagt.

Die Stechmücke weiß, was eine Nase ist. Und was ein Kinn. Die Stechmücke weiß nicht, was ein Lied ist. Sie hat einen Ton. Eine einzige Taste. Eine schwarze Taste, wenn es dunkel ist im Zimmer.

Das Kind, das allein geht, hat, wenn es dunkel ist, kein Glas überm Gesicht. Sein Gesicht hat keine Angst vor dem Ton der schwarzen Taste. Das Kind, das allein geht, sitzt im Pepitaanzug. Auf dem Dreirad. An der Ecke. Im Wind. Das Dreirad quietscht.

Doch, was weiß ein Kind, das allein geht. In dessen Augen kein Wasser ist.

3.

Matthias drückt die Hände an die Schläfen. In den Schläfen steht noch der Traum.

Ein fettes Schwein und ein mageres Schwein gehn über den Hof. Das fette Schwein trägt das magere Schwein auf seinem Rücken. Das fette Schwein frißt rote Ziegelsteine. Es bückt sich. Das magere Schwein fällt in seinen Rücken. Sinkt in seinen Bauch. Hängt zwischen seinen Beinen. Liegt im Bauch des fetten Schweins und schläft. Das magere Schwein liegt ausgestreckt. Auf dem Rücken. Wie Tote liegen.

Der Mann mit dem Hut pflückt ein einziges Kleeblatt. Wie man ein einziges Veilchen pflückt. Er steckt das Kleeblatt an den Hut. Wie man ein einziges Veilchen an den Hut steckt.

Das Kind, das allein geht, sitzt. Auf dem Dreirad. Lehnt den Rücken an den Pflaumenbaum.

Das schlafende Schwein spürt nichts. Das wache Schwein spürt, wie Matthias hinterm Pflaumenbaum das Messer wetzt. Das Messer hat einen Schatten. Der Schloßberg hat eine Schneide. Matthias läuft zwischen dem Schatten des Messers und der Schneide des Schloßbergs ins Zimmer.

Matthias hört seinen Schrei.

4.

Matthias geht aus dem Zimmer. Er schließt die Tür mit dem Gesicht zur Tür. Sein Arm ist unterm Kinn lang ausgestreckt. Seine Schulter berührt das Ohr. Der Haarsaum knistert. Im Kopf. Zwischen den Augen.

Das Ohr steht hinter der Stirn. Ringelt sich. Und horcht. Matthias schließt beim Hinausgehen die Zimmertür, wie man die Zimmertür beim Hineingehen schließt.

Matthias sieht die Zeiger nicht. Die Zahlen nicht. Das Zifferblatt der Kirchenuhr ist ein Fleck. Zwischen Bäumen. Die Zeiger gehn hinterm Laub.

Der Mann mit dem Hut geht. Hinterm Zaun. Von Pfosten zu Pfosten. Im Garten ist Wind. Das Petersilienkraut ist in den Rand gedrängt. Naß vom Tau.

Das Kind, das allein geht, sitzt. Auf dem Dreirad. An der Ecke des Hauses.

Im Hof wächst der wilde Wein. Ist vor dem Erwachen. Matthias hört wie er atmet. Es ist ein Klettern drin. Das spinnt die Sonne zu. Die Beeren sind schwarz. Der Sommer ist mürb. Die Beeren suchen. Die Haut zwischen Kehle und Kinn altert.

Wild ist der wilde Wein, hat Matthias Mutter gesagt. Wenn man davon ißt, muß man allein sein. Die Tür von innen fest verschließen. Man kriegt blauen Schaum vor den Mund. Man friert. Zieht sich immer mehr Kleider an. Man stirbt. Wenn man tot ist, riecht man faul.

Jeden Sommer schaut Matthias die Beeren an. Geht einen Schritt näher. Bis seine Hände zittern. Bis seine Lippen ohne seine Hände pflücken könnten. Holz und Wange. Sein Mund wird starr. Haut wie Frost unterm Laub. Matthias läuft in den Hof.

Ich esse sie nicht, schreit Matthias. In die Hand. In den eigenen Mund.

5.

Die Hühner gackern durch die Bretter des Hühnerstalls. Am Morgen haben sie hohe Stimmen. Sie singen fünf Töne. Und brechen sie ab. Unerwartet werden sie stumm. Unerwartet singen sie wieder. Ihre Kämme sind rot. Blühn. Verblühn auf den Köpfen. Decken, wenn sie verblüht sind, die Augen zu. Zittern.

Matthias Mutter hat, als sie ein Mädchen war, immer den Kamm gegessen. Matthias Vater hat, als er ein Junge war, immer den Kamm gegessen. Nach ihrer Ehe hat Matthias Mutter nicht mehr den Kamm gegessen. Immer hat Matthias Vater den Kamm gegessen.

An grellen Sommertagen hat Matthias einen roten Schimmer im Haar seines Vaters gesehen. Wenn Matthias Vater den großen schwarzen Hut in die Luft gehoben hat. Von der Stirn zur Kopfmitte hin der Schimmer eines roten Kamms.

Matthias hat gesehn, wie der Schimmer wächst. Wie der Kamm das Haar vertreibt. Sich auf der Kopfmitte den schwellenden Platz sucht. Für anderes wilderes Fleisch als die Haut.

Der Kamm hätte Jahre gebraucht um zu blühn. Um den großen schwarzen Hut im Wind zu halten.

Matthias Vater hat nie gesungen. Hatte Angst vor dem Ton. Vor dem Klang in den Liedern. Vor der dünnen Stimme. Die manchmal reißt. Der Kamm ist nicht gewachsen. Ist innen im Kopf geblieben. Hat das Gehirn erdrückt. Hat nur das Haar vertrieben. Und innen in den Tod gedrückt.

Vor dem Tod hat Matthias Vater alles vergessen. Sein Kopf war ausgetropft. Nur eins hat er besser als vorher gewußt. Öfter als vorher gelebt. Es war der Krieg. Er hat sich im Hof hinterm Brunnen geduckt. Sich hinter den Bäumen versteckt. Hat die Hand auf den Mund gedrückt. Wisch mir das Blut ab, hat er gesagt. Hat sich den Bauch verbunden. Die Schulter. Das Knie. Hat sich ein Auge verbunden. Trag mein Gewehr, hat er gesagt. Die lassen mich nicht in die Einheit.

Matthias öffnet die Tür des Hühnerstalls. Die Hühner flattern. Über seinen schwarzen Hut. Sie haben Wind in den Flügeln. Und Schreie im Hals. Haben die Krallen noch gekrümmt von der Hühnerleiter. Taumeln im Hof. Singen fünf Töne. Und schweigen. Schweigen und fressen. Fressen sich stumm.

Der Hahn stellt sich auf einen Maulwurfshügel. Kräht. Reißt mit dem Schnabel den Morgen auf. Sein Kamm verblüht in rotblauen Wellen. Deckt ihm ein Auge zu. Der Hahn sieht mit dem anderen funkelnden Auge die Hälfte des Morgens.

Der Hahn sieht Matthias ganz. Er erschrickt. Als wär ein großer schwarzer Hut auf ihn gefallen. Als wär am Ende seines Schnabels der aufgerißne Morgen plötzlich aufgerißne Nacht. Der Hahn flattert. Im Federsturz zerwirbelt er den nahen großen Flügel.

Der Hahn steigt auf ein aschgraues Huhn. Drückt ihm den kleineren hochroten Kamm in den Sand. Schiebt ihm den Kopf hinauf in den Hals. Unter den schmäleren bleicheren Schnabel.

Vater, komm, er macht es tot, hat das Kind, das allein geht, in den Hof geschrien. Der Mann mit dem Hut hat die Augen geschlossen. Hat am Finger gekaut. Er liebt es, hat er gesagt. Das Dreirad ist hoch und steil in den Sommer gewachsen. Der Tau war gefallen. Im Kühlen standen die Gärten. Der Mann mit dem Hut hat sich weggedreht. Er hat seine Schuhe gesehn. Seinen Gang gespürt.

Der Mann mit dem Hut hat im Gehen gesagt, so ist das bei den Menschen.

Der Mais hat den Tau geschluckt. Hat die Felder gefüllt. Grüne Blätter. Härter im Rauschen. Nachts ist er ins Dorf gefallen. Hat Kälte gehaucht. Der Mais hat die Betten beladen. Körner wie Schnäbel.

Das Dreirad hat gequietscht. Das Kind, das allein geht, hat getreten. Hat seine Backenknochen weiß und viel zu breit ins Fahren gestellt. Hat sein Nasenbein getragen. In seinem Augenweiß sind die Pupillen gewachsen. Schwärzer als der wilde Wein.

Im Augenweiß des Kindes, das allein geht, ist ein aschgraues Huhn in den Sommer geflogen. Hinauf in den Himmel gestürzt.

6.

Der Rotklee blüht blau. Blüht sich trocken. Zu Heu. Immer vorbei. An der Schneide der Sense.

Es sind Schritte im Klee.

Neben dem Zaun liegen erbrochene Äpfel. Man kann die Bisse zählen. Und man kann sich die Augen ausdenken. Die Lippen. Die Hände. Sie gehören den Soldaten.

Das Kind, das allein geht, hat die ersten Soldaten gesehn.

Vor drei Tagen. Hinterm Schrank. Im Nachbarhaus. Das Kind, das allein geht, hat das Wort Soldat gekannt. Vor den Soldaten. Das Dreirad war hoch. Und steil. Das Kind, das allein geht, hat gewußt, daß die Männer hinterm Schrank Soldaten sind.

Linksum. Rechtsum. Im Laufschritt marsch. Stillgestanden, sagt der Offizier. Seine Stimme ist leise. So schwach, daß alle gehorchen.

Der Offizier hat Blei in den Augen. Er dreht sie. Und schießt. So plötzlich wie mitten im Feld.

Abzählen, sagt der Offizier. Die Soldaten stehn wie Feldhüter um den Schloßberg. Dicht nebeneinander. Sie schreien die Zahl. Jeder Soldat zählt sich selbst. Der Größe nach. Der zweitletzte Soldat ist der zweitkleinste. Er stottert.

Der Offizier dreht die Augen. Pissen, schreit er. Stillgestanden und pissen. Der zweitkleinste Soldat führt die Hand an den Hosenlatz.

Stillgestanden, schreit der Offizier. Sechzig Handstützen. Der zweitkleinste Soldat legt sich auf die Hände. Zählt laut, wie oft das Gesicht sich beugt. Und die Erde berührt. Stillgestanden, sagt der Offizier. Pissen.

Der zweitkleinste Soldat keucht. Er steht still. Zwischen seinen Schenkeln rinnen dunkle Streifen. Sie tropfen aus den Hosenbeinen. In seine Schuhe.

Das Kind, das allein geht, bewegt den Fuß. Stillgestanden. Das Kind, das allein geht, wächst nicht. Rechtsum. Die Würfel sind im Pepitaanzug. Schwarz und weiß. Ausgerichtet. Linksum.

So war das mit deinem Vater, hat Matthias Mutter gesagt. Er hat, als er aus dem Krieg gekommen ist, einen großen schwarzen Hut gehabt.

Ich hab dreitausendneunhundertsiebzig Äpfel gepflückt, hat der kleinste Soldat gesagt. Am Abend. Im Hof. Zweimal die Jahreszahl.

Ich hab den Hut auf den Tisch gelegt, hat Matthias Mutter gesagt. Ich hab geglaubt, daß wir zusammen sind.

Zwölf Äpfel hab ich gegessen, hat der kleinste Soldat gesagt. Zwölf Monate.

Ich hab gewußt, hat Matthias Mutter gesagt, daß mir nichts übrig bleibt, als dieser große schwarze Hut.

7.

Wenn es lange Zeit nicht regnet ist das Petersilienkraut hart.

Es wächst nicht jedes Jahr, hat Matthias Vater gesagt. Es gibt Tage, an denen die Sonne die Leute von innen durchleuchtet. Das sind grelle Tage. An solchen Tagen sitzt man um den Tisch. Wartet aufs Essen. Man merkt, daß dies ein Jahr mit einer Kerbe ist. Schaut hinterm leeren Teller. Man weiß, daß jemand sterben wird an diesem Tisch. Die Hände aus dem Kreis zieht. Den Teller überflüssig macht. Es wächst kein Petersilienkraut. Und man hat Angst um sich. Und schaut die andern an.

Matthias Vater hat den Petersiliensamen übers Beet gesät. Sein großer schwarzer Hut hat ihm die Stirn gekühlt. Ich geh im Kreis, hat er gesagt. Das Beet ist eng. Ich seh nur grüne Ringe in der Luft. Ich werd erdblind sein. Matthias hat ihm bis zu den Hüften gereicht. Wenn du gewachsen bist, hat er gesagt, dann laß das Beet.

8.

Der Kirchturm. Der Tag hat geschlagen. Die Zeiger begegnen sich. Entfernen sich.

Der Mann mit dem Hut geht. Von Zaun zu Zaun. Mit den Schultern zu nah. An den Brettern. Geht an den Häusern. Von Fenster zu Fenster.

Das Kind, das allein geht, wartet. Bis die Wände aufhörn.

Sich begegnen. An den Ecken. Im Wind. Viele Straßen verteilen sich.

Aus der Konditorei kommen zwei Soldaten. Die Tür steht halb offen. Hinterm Pult steht Marianne. Lehnt sich an. Mit dem Bauch. Sie trägt den rosaroten Kittel. Darunter nackte Haut.

Ein Soldat steht vor dem Pult. Lehnt sich an. Zwischen Marianne und ihm steht der Kuchen. Die rissigen Kipfel. Marianne lehnt auf den Ellbogen. Hebt das Kinn. Hinter dem hochroten Apfel. Der Biß ist weiß. Schäumt ihr am Mund.

Marianne ist Braut. Und Anton im Norden des Landes. Soldat der Karpaten. Marianne ist Braut unterm Kittel. Marianne hält die Lippen weiß schäumend am Biß. Wartet. Bis Anton sich zum Mann geschossen hat. In den Karpaten.

Durch Mariannes Stirn zieht ein Brautbild. Zwischen den Augen rauscht ihr ein Kleid. Und ein Schleier. Anton hat einen weißen Handschuh an. Trägt den zweiten mit derselben Hand. Neben dem Hosenbein. Als könnt er beide, weil sie weiß sind, voneinander nicht entfernen.

Das Bild löst sich auf. Eine kleine Falte auf der Stirn wird glatt. Marianne lächelt. Vor ihr steht der nähere Mann. Der Soldat.

Marianne zählt die Kipfel. Als würde sie nicht Kipfel zählen. Sondern Tage.

Der Soldat schüttelt die Sodawasserflasche. Er drückt auf den Griff. Mit der sicheren Hand. Wie näher gerückt dem Wirbel im Fleisch. Das Wasser schießt. Sprudelt ins Glas. Über den blutenden Himbeersaft. Marianne leckt einen Löffel ab. Ihre Zunge ist dick. Rot. Und träge. Der Soldat nimmt den Löffel. Streift ihre Wange damit. Klimpert am Glas.

Der Soldat schaut Matthias an. Dreht eine Kugel im Aug. Eine stechende heiße Pupille. Matthias schaut auf den Fußboden. Er geht.

Das Kind, das allein geht, sieht die halb offene Tür. Weiß nicht, wie schmal sie die Sonne macht.

Die Zeiger der Kirchenuhr entfernen sich. Bäume schlafen im Laub. Schatten stehn schief.

Der Mann mit dem Hut hält die Schulter nah an den Zäunen. Steckt die Hand in den Rock. Neigt den Kopf. So ist das bei den Menschen, sagt der Mann mit dem Hut.

9.

Ein Pferdewagen fährt auf der Straße. Er rasselt. Wie Eisen im Holz.

Ein braunes und ein weißes Pferd ziehen den Wagen. Das weiße Pferd ist groß. Und glatt. Das braune Pferd klein. Und strauchig. Ungleich sind ihre Schritte. Man sieht es an den Hufen. Das braune Pferd zieht den Wagen. Zieht nur für sich.

Der Kutscher ist ein dicker Mann. Schaut unter den Wagen.

Auf dem Wagen steht eine Kuh. Sie ist mit Stricken festgebunden. Sie schaut. Auf die andere Straßenseite. Die ist asphaltiert. Weil dort der Bürgermeister wohnt. Sein Haus ist blau gekachelt.

Wenn es regnet, gehn die Leute an seinem Haus vorbei. Weil dort der Boden nicht verweicht. Sein Hund ist schwarz. Er steckt die Schnauze durch den Zaun.

Die alten Leute gehn, auch wenn es regnet, auf der aufgeweichten Seite. Sie verstehen nicht, daß man der Erde ausweicht, um die Schuhe zu schonen. Wo doch die Erde wartet. Überall. Und ihre Pflanzen aufgibt. Für ein Grab.

Der Mann mit dem Hut geht, auch wenn es regnet, auf der aufgeweichten Seite. Er meidet das Wasserbild auf dem Asphalt. Das mitgeht. Und von unten schaut. Das Wasserbild verzerrt den Hut.

Das Kind, das allein geht, sieht noch ein Dreirad: Unter sich. Das mit zerquetschten Rädern seine Schuhe narrt.

Der Arzt geht, wenn es regnet, auf der asphaltierten Seite. Er schaut über seine Schulter. Sieht, wie sein weißer Kittel zweimal leuchtet. Einmal hinter ihm. Er kann sich nicht verlieren.

Der Bürgermeister schaut, wenn es regnet, die blauen Kacheln seines Hauses an. Er geht langsam. Sieht auf der ganzen Wand sein Spiegelbild.

Der Schuster geht, wenn es regnet, an den blauen Kacheln vorbei. Weil seine Krücke in der aufgeweichten Erde stecken bleibt.

Der Schuldirektor schaut nochmal in das Kachelbild. Dann geht er um die Ecke. In die Schule. Er sucht seinen Krawattenknoten. Im nassen Schein. Rückt ihn zurecht.

Der Milizmann schaut dem Pferdewagen nach. Er steht an der Ecke. Wie nachher hingebracht. An einen vorgeschriebenen Platz. Und rasch hineingestellt in seine Uniform. Er pfeift drei Töne. Stockt. Atmet ein und aus. Als gehöre das zu seinem Dienst. Sein Blick ist bei den Pferden. Seine Lippen sind naß. Kommen über den Anfang des Lieds nicht hinaus. Nehmen sich selbst die Luft. Als gäb es im Mund, von den Lippen zur Nase, keinen Klang.

Das Kind, das allein geht, zählt. Die Knöpfe seines Pepitarocks. Immer kleiner werden seine Augen. Denn die Knöpfe glänzen.

Der Mann mit dem Hut hat einen langsamen Schritt. Trägt den Weg im Schuh. Schaut im Gehen die Uniform an. Den Hals des Milizmanns. Weiß und dünn wächst er aus dem Kragen. Wie eine Kerze.

Der Milizmann spitzt ratlos den Mund. Greift sich unters Kinn. Als falle ihm von Zeit zu Zeit der Kehlkopf in die Hand.

Der Mann mit dem Hut nimmt die Töne von den Lippen mit. Das Huhn singt nicht unterm Hahn, sagt er.

10.

Vor dem Wirtshaus stehn Soldaten. Sie essen Äpfel.

Marianne ist Braut, sagt der Mann mit dem Hut.

An den Schuhen der Soldaten hängt Erde. In der Wirtshaustür sitzt der Hund des Bürgermeisters. In der Türscheibe hängt seine Zunge.

Um den Tisch sitzen Soldaten. Über ihre Hände kriechen Fliegen. Die Augen der Soldaten sind trüb. Ihre Lippen sind rauh. Das Lachen und die Lippen sind dasselbe.

Zwischen den Stühlen liegt Erde.

Die Hände der Soldaten merken die Fliegen nicht. Und die Fliegen merken die Hände der Soldaten nicht. Es ist ein Einverständnis zwischen beiden.

Matthias spürt einen heißen Fleck an der Kehle. Sein Speichel ist sauer im Mund.

Der Mann mit dem Hut schaut über den Soldaten ins Leere.

Das Kind, das allein geht, dreht den näheren größeren Schuh. Er ist bleich. Im Bierschaum schwimmt ein aschgraues Huhn. In den Hals der Soldaten.

11.

Der Blutfleck auf dem Kittel des Arztes. Die Nase der Hebamme. Der Krawattenknoten des Schuldirektors. Der Ellbogen der Postfrau. Der Haarknoten der Schneiderin. Die Ledertasche des Briefträgers. Die Lederschürze des Schusters. Der kahlgeschorne Kopf des Tischlersohns. Die Narbe hinter seinem Ohr.

Die Schuhe stehn hintereinander. Dunkel gepaart in der Schlange. Unter der Lederschürze steht nur ein Schuh. Die Köchin des Pfarrers. Im Schatten der Kegelbahn. Neben der rostigen Rinne.

Der Bäcker öffnet das Fenster. Die Köchin macht einen

Schritt. Das Brot ist flach. Die Hefe alt. Das Brot ist frisch, sagt der Bäcker.

Der Arzt bezahlt mit dem Blutfleck das Brot. Die Hebamme streckt den Hals. Der Schuldirektor rückt an der Krawatte. Die Postfrau kichert. Die Schneiderin zählt ihr Geld.

Der Briefträger packt das Brot ein. In eine Zeitung.

In der Fensterscheibe steht jeder Brotlaib nocheinmal. Hat zweimal die eingedrückte Seite. Mit der aufgerißnen Rinde.

Der Schuster hängt das Brotnetz an seine Krücke.

Vor das Fenster stellen sich Soldaten. Der Sohn des Tischlers dreht den Kopf. Versteckt die Narbe hinterm Ohr.

Die Soldaten lassen die Brote in einen Sack fallen. Matthias sieht den zweitkleinsten Soldat. Er rollt rote Äpfel in die Blechrinne der Kegelbahn.

Ein Soldat trägt den Sack.

Hinter Matthias steht die Sonne. Über dem Petroleumfaß. Die Kalkgrube ist ausgedorrt.

Das Brot wird nicht reichen, sagt der Bäcker. Sein Gesicht ist doppelt, in den Fensterscheiben. Der Sohn des Tischlers neigt die Narbe. Hält die Hand vors Fenster.

Vor der Kalkgrube stehn kleine Frauen. Sie rücken nach. Matthias hört ihren Atem.

Hinter Matthias regt sich ein Taschentuch. Das Geld wartet. Im Zipfel eingeknotet.

Antons Mutter schaut in die Rinne der Kegelbahn. Den roten Äpfeln nach.

Marianne ist Braut, sagt der Mann mit dem Hut. Äpfel sind nahe. Anton ist weit.

Matthias spürt den großen schwarzen Hut. Er drückt an der Stirn.

Matthias hält den Hut nicht aus. Hält den Kalk nicht aus. Das Glühen über dem Petroleumfaß. Hält das Geld nicht aus. Matthias hält das Brot nicht aus in seiner Hand.

Das Kind, das allein geht, schaut. In die Grube. Die weißen Würfel seines Anzugs wachsen. Und löchern die
schwarzen Würfel.

12.

Überm Weg liegt der Schatten eines Fahrrads. Die Schatten der Räder sind lang. Und weiß von der Sonne. Wie
Augäpfel im Sand.

Matthias geht. Durch die Schatten der Stangen. Der Sitz
ist nach unten geschraubt. Berührt mit metallenen Federn
das Rad. Die Federn schütteln. Wiegen den Rücken. Den
Hals. Und die Hände.

Das Fahrrad ist klein.

Das Kind, das allein geht, weiß, daß das Fahrrad kein
Dreirad ist.

Es ist ein Damenrad, sagt der Mann mit dem Hut. Wenn
das Damenrad fährt, fährt der Friseur. Die metallenen Federn haben ihm einen Buckel gewiegt.

Der Buckel des Friseurs ist auf seiner Schulter ein Kopf.
Hinterm Kopf. Er hat nicht die Farbe des Haars. Er hat die
Farbe des Rocks.

Der Buckel des Friseurs ist immer zugedeckt. Als habe
der Friseur heimlich noch jemand bei sich. Unter der Haut.

Die Glocke des Fahrrads ist groß. Wie ein Wecker. Sie
läutet nicht von selbst. Wie kleine Glocken, in der Rüttel-
ung des Weges. Sie läutet nur durch einen Daumendruck.

Ein Daumendruck, sagt der Mann mit dem Hut. Zwei
Töne sind drin. Der erste Ton ist schrill. Kurz. Und hoch.
Der zweite Ton ist tief. Lang. Und dumpf. Ein Echo.

Der erste Ton ist der Kopf des Friseurs. Der zweite Ton
ist das Echo, des Kopfes. Verdeckt. Und ein Buckel.

Der erste Ton erschreckt. Die Leute, die gehn, tun plötzlich den großen Schritt. Hinaus aus den kleinen Schritten.
Aus dem Gehen hinaus.

Weil die Leute in Schritten leben, ist der Weg wie ein Vogel im Weg. Verscheucht. Und das Leben gebrochen.

Der Kopf des Friseurs fährt im ersten, im offenen Ton. Die Leute stehn an der Wand. Wie vom Gehsteig gefallen. Das Kind, das allein geht, hält sich die Augen zu.

Hinter dem Kopf des Friseurs fährt der Buckel, der Heimliche, den der Friseur bei sich trägt. Der schaut auf die Fingerspitzen. Die sich blind hinterm Körper der Wand vergewissern.

Vor der Glocke ist der Absturz eine Wand, sagt der Mann mit dem Hut.

Der Heimliche ist auch Friseur, sagt das Kind, das allein geht. Er ist behaart. Und hat einen Scheitel. Der Friseur muß ihn kämmen.

Am Abend, vor dem Einschlafen legt der Friseur den Heimlichen aufs kleine Kissen. Er erzählt ihm. Wen er rasiert hat. Wem er das Haar geschnitten hat.

Der Friseur versichert dem Heimlichen, daß er bei jeder Rasur unterm rechten Aug begonnen hat. Die rechte Wange runter. An den Lippen knapp vorbei. Am Mundwinkel einen Bogen bis zum Kinn gerundet.

Die linke Wange wie ein anderes Gesicht, sagt der Friseur.

Der Heimliche knistert im Dunkeln. Wenn die Stimme des Friseurs müde ist, fragt der Heimliche nach dem Kehlkopf. Der Friseur bestätigt ihm den kleinen Schnitt. Den er bei jedem, der sich in den Ledersessel setzt, verübt. Mit einem Daumendruck.

Ganz wenig Blut, sagt der Friseur. Gerinsel nur. Ich drück den Schnitt mit meinem Daumen zu. Die Haut betrügt. Sie kennt mich. Und sie klebt. Ich sprüh das Kölnischwasser. Daß ein gleichmäßiges Brennen in den Poren zuckt.

Bring mir meinen Scheitel noch in Ordnung, sagt der Heimliche. Dann schläft er ein.

Der Friseur steht hinterm Ledersessel. Vor dem Spiegel. Auf seinem weißen Kittel, auf der Schulter, liegt eine Haarsträhne.

Matthias drückt die Augen zu. Sie wird ihm auf die Schuhe fallen, Liza.

Der Friseur fegt sich den Nacken aus. Immer von derselben buckellosen Seite.

Der Daumen des Friseurs ist breit. Er ist ein Daumendruck. Auf seiner Nagelwurzel wächst ein dunkelblauer Fleck. Wie wilder Wein. Wie Vergiftungen. Die durch das Fleisch gehn. Und die Haut aufbrechen. Von jedem Daumendruck bleibt ein Tropfen Blut im Finger stehn.

Der Schaum quillt. Der Friseur pinselt ihn auf seinen Kehlkopf. Tupft mit der Fingerspitze.

Sein Kittel ist hinten kürzer als vorn. Vom Buckel in die Kniekehlen gehoben. Der blaue Fleck führt das Messer.

Der Friseur setzt, wenn er sich selbst rasiert, das Messer am Kehlkopf an, sagt der Mann mit dem Hut. Er führt es langsam. Der Schaum erlischt. Über dem Buckel glüht sein Ohr. Der kleine Schnitt wird nicht verübt. Die Haut nicht zugeklebt.

Der Mann mit dem Hut steht hinterm Gußeisenofen. Im Spiegel. Der Daumendruck bleibt für die andre Haut, sagt der Mann mit dem Hut.

Liza ist ein Fleck im Spiegel, sagt Matthias.

Das Kind, das allein geht, greift sich an die Wangen. Der Heimliche neigt sich. Und schaut. Bald wird man auf den Wangen des Kindes die Spur der Finger sehn.

13.

Matthias legt das Brot auf den Tisch.

Gebackener Teig, sagt das Kind, das allein geht.

Der Mann mit dem Hut, sagt, der Teig ist vom Bäcker das Gesicht.

Ich bin die von der anderen Seite meines Gesichts, hat Liza gesagt. Sie hatte sich Veilchen gekauft. Von einer alten Frau. Die stand vor den Bänken im Park.

Liza war aus einem anderen Dorf. Sie kam aus einer anderen Richtung in die Stadt. Aus derselben Entfernung. Sie war wie Matthias in die Schule geschickt worden. In einen Beruf. Liza sollte Friseuse werden.

Matthias sollte Schlosser werden. Er hat gesehn, daß es nur ums Eisen geht in dem Beruf.

Es ist in der ganzen Schule nur noch ums Eisen gegangen, sagt Matthias. Ums Eisen im Holz. Im Beton. Und im Stein. Die jungen Lehrerinnen hatten wasserblondes Haar. Es stand jeden Tag bei der Friseuse im Spiegel. Es leuchtete vor der Tafel. Die jungen Lehrerinnen sprachen, wenn sie durchs Schultor kamen, nur noch vom Eisen. Vom Eisen im Eisen.

Ich bin die von der anderen Seite meines Gesichts. Liza hat die Veilchen angeschaut. Matthias hat sie nach dem Satz gefragt. Hat geschaut, was dieser Satz auf ihren Lippen tut.

Liza hat sich auf die Bank gesetzt. Sie hat ihren Schuh ausgezogen. Matthias hat vor der Bank gestanden. Matthias hatte diesen Satz im Kopf. An Lizas Zehen, an ihrem Seidenstrumpf hat ein Klumpen Watte geklebt. Liza hatte Watte im Schuh.

Die Watte war feucht. Matthias hat den Zufall gesehn. Der sie und ihn zusammengebracht hatte. An einem Watteklumpen. Zwischen zwei Dörfern.

Matthias hat zwischen den Augen einen Hauch gespürt. Von der anderen Seite seines Gesichts. Lizas Lippen waren bleich.

Und daß ich dich nie verlassen werde. Bis zu deinem oder meinem Tod. Zwischen sich und Liza hatte Matthias die leere Zeit gesehn.

Liza hat gelacht. Schrill. Immer mehr nach außen hat sie

gelacht. Weit hinausgelehnt aus sich selbst. Vom anderen Ende des Lebens hat Liza gelacht.

Matthias hat gesehn, wie sie an den Veilchen zupft. Wie sie den Griff im Finger hat. Den Griff nach Haar.

Matthias hat sie im weißen Kittel gesehn. Wie sie den Lehrerinnen in den Sessel hilft. Wie sie den Scheitel teilt. Wie sie die Schere offen hält. Und schließt. Wie tagelang das Haar auf ihre Schuhe fällt. Und keiner sieht, hat Matthias gedacht, daß sie Watte in den Schuhen trägt. Und jeder sieht, daß sie den Kamm wie einen Taktstock hält.

Die Bäume waren nicht gekämmt. Es war ein Wald im Park. Es war keine Uhrzeit in der Stadt. Es war später. Matthias war von Liza weggekühlt.

Liza hat mit den Zehen den Watteklumpen in den Schuh gedrückt. Sie hat nichts gewußt vom Haar. Das ihr in abgeschnittnen Strähnen auf den Schuh gefallen war.

Es war niemand im Park. Matthias hat in den Schritten getragen, was früher, und später, und längst schon vorüber war. Er hat auf die Erde geschaut.

Matthias hat gespürt, wie Lizas Auge seine Wange plündert.

Das Brot ist gebackener Teig. Und die Rinde ist Haut.

Matthias trägt seinen Magen. Er ist ein Loch im Tag. Sein Mund ist tief. Der Hunger ist in seinem Mund.

Matthias denkt sich weg. Zu anderem. Das man nicht essen kann. Die Anstrengung ist ein Faden. Durch die Schläfe gespannt. Der Faden reißt.

Der Hunger, sagt Matthias, ist das Essen. In der Hoffnung, daß es anders wird. Was uns verloren macht.

Das Brot ist vom Bäcker das Gesicht, sagt der Mann mit dem Hut.

Das Kind, das allein geht, ißt.

14.

Matthias hat Jahre im Gesicht.

Matthias Mutter hat im Hof gestanden. Sie hat das Kleid über den Kopf gehoben. Ihr Rücken war nackt. So wie der Heimliche war sie ganz. Ich frier, hat sie gesagt.

Matthias Mutter ist ins Haus gegangen. Langsam. Als hätt sie sich im wilden Wein den Weg erfinden müssen.

Im Zimmer hat Matthias Mutter ihr Kleid am Hinterkopf hinunter fallen lassen.

Matthias Mutter hat am Tisch gestanden. Es liegt nicht an mir, hat sie gesagt.

In ihrem Gesicht war sie und eine andere Person. Es war ihr Haar. Ihre Stirn. Ihre Augen. Die Augenringe waren fremd. Wie umgehängt. Und in der Eile nicht mehr zuge-macht.

Die Wangen waren nicht ihr Fleisch. Das Kinn war alt. Die Lippen fremd.

Die Nase war nicht da. Dann wuchs sie aus der anderen Person.

Matthias Mutter hat die Blumentöpfe aus dem ganzen Haus ins Zimmer auf den Tisch gestellt. Sie hat die Blumen herausgerissen. Hat die Erde aus den Töpfen auf den Tisch geleert. Ein dunkler Berg hat auf dem Tisch gelegen.

Matthias Mutter hat die Erde angeschaut. Hat laut im Kopf, in dem sie nicht mehr war, Zahlen ausgerechnet. Die Länge. Die Höhe. Die Breite des Bergs. Tiefe hat sie zur Höhe gesagt. Und, soviel brauch ich nicht. Die Hälfte reicht, hat sie gesagt. Drin kann man liegen.

Sie hat den Berg geteilt. Hat die Hälfte der Erde zurück in die Töpfe gefüllt.

Die Erde, die nicht zum Liegen war, hat sie in den Hof hinaus getragen. Der Regen hat die Erde naß gemacht. Sie in den Hof gleich eingeschlossen.

Matthias Mutter hat die leeren Blumentöpfe auf den

Tisch gestellt. Ich will sie sehn, hat sie gesagt. Und sicher sein, daß sie mich nicht mehr drücken.

Die vollen Blumentöpfe hat sie aufs Fensterbrett gestellt. Und auf den Schrank. Sie hat gesagt, ich muß mich dran gewöhnen.

Sie hat die Blumen nicht mehr gepflanzt. Hat sie alle zusammengebunden. Sie mit den Köpfen nach unten an die Wand gehängt. Sie sind verdorrt. Sind tagelang, ohne zu rascheln auf den Fußboden gefallen.

Die vollen Blumentöpfe hat Matthias Mutter jeden Tag gegossen.

In den Töpfen ist nach ein paar Wochen Gras gewachsen. Einmal hat ein Löwenzahn geblüht. Seine Blätter waren nicht gezackt. Jung waren sie. Und schmächtig. Als sie mit der Länge fertig waren, sind sie abgedorrt.

15.

Matthias geht den wilden Wein entlang. Die Beeren berühren seine Schulter.

Der Tag hat sich leer geglüht. Der Mais gräbt den Abend aus der Erde. Der Abend steigt auf die Bäume. Dunkel und rund. Wie der Heimliche.

Auf dem Schloßberg ist das Gras ins Haar der Feldhüter gezogen. Wenn der Tau fällt, kriecht es zurück. Auf den Hang.

Der Mann mit dem Hut ißt einen roten Apfel.

Im Zimmer der Soldaten brennt das Licht.

Ein weißes Huhn geht auf den Krallen. In den Hühnerstall. Es trägt den vollen Kropf wie eine Trommel. Die Hühner stehen auf der Leiter. Das weiße Huhn sucht sich den tiefsten Platz. Als könnte unter ihm die Nacht noch wachsen. Noch tiefer werden, als die Stange ist. Der Hahn steht über ihm. Er legt den Wind aus seinem Flügel noch zurecht. Das aschgraue Huhn steht ganz oben. Legt den Kopf unter den Flügel.

Im Nest liegt kein Ei. Das Stroh ist zerwühlt.

Matthias schließt die Tür des Hühnerstalls. Der Riegel schlottert. Ein Nagel fällt in seine Hand. Matthias spürt das Eisen auf der Haut. Er wirft den Nagel in den Hof.

16.

Der Mond hängt. Wie ein Blatt. Der Mais ist schwarz. Es riecht nach Rauch.

Die Soldaten haben Feuer gemacht. Sie braten Äpfel. Matthias hört den Saft der Äpfel.

Das Kind, das allein geht, hat nur schwarze Würfel in seinem Pepitaanzug.

Ein Soldat steht unterm Baum. Er hält die Mütze in der Hand. Er würgt. Hinter ihm steht ein Soldat. Der lacht. Er tritt an den Stamm. Fick deine Mutter, schreit er. Die Mütze fällt auf den Boden. Der Soldat erbricht an den Stamm.

Komm schon mit den Eiern, ruft ein Soldat. Er trägt einen langen Ast. Es hängen Pflaumen dran. Er wühlt im Feuer. Laß den Schwanz in Ruh, schreit er. Der hat zuviel gefickt. Zuviel Himbeersaft getrunken, lacht ein Soldat. Er zerbricht dünne Äste. Wirft sie ins Feuer. Gib die Eier her. Das Fett ist heiß.

Matthias hört die Eier zischeln im heißen Fett. Die leeren Eierschalen fallen ins Feuer.

Große Eier haben diese Deutschen, lacht ein Soldat. Fleißige Hühnchen. Deutsche Gründlichkeit. Die haben das Dekret gelesen, sagt der Soldat mit dem Pflaumenast. Teufel, schreit der Soldat mit der Pfanne. Das ist der kapitalistische Einfluß.

Hilfe für die dritte Welt, schreit ein Soldat aus dem Zimmerfenster. Wann kommen die Eier.

Auf dem Fensterbrett steht eine Milchflasche mit einer Lilie. Der Soldat, der erbrochen hat, steht vor dem Fenster.

Anstrengend, sagt der Soldat im Fenster. Dein Schwanz ist tot. Der Soldat vor dem Fenster lacht. An der ist nur das Gesicht, sagt er. Brüste wie Waschlappen. Und eine Fotze wie ein Eimer.

Die kann man in die Hüften ficken, lacht der Soldat im Fenster. Er hebt die Milchflasche. Er riecht an der Lilie. Pfui, sagt er. Die stinkt. Über seinem Kopf sitzen Soldaten. Auf dem Eisenbett oben. Die Eichel ist Trumpf, schreit einer. Seine Hand ist ein großer Schatten. An der Zimmerwand.

Ich ging den Weg-rauf, singt ein Soldat vor dem Feuer. Da traf ich eine Jungfrau-runter.

Matthias riecht die Eier und das Fett.

Das nennt sich Kartenspielen, schreit ein Soldat durchs Fenster. Damit kannst du deine Mutter ficken. Nicht mich.

Erzähl mir noch, sagt der Soldat im Fenster. Was hat sie für Haare dort, deine Marianne. Schwarze, wie alle, sagt der Soldat vor dem Fenster. Der Soldat im Fenster lacht. Da irrst du dich, Kleiner, sagt er. Seine Backenknochen sind dunkel. Seine Lippen zittern. Morgen geh ich Himbeer trinken, sagt er. Er biegt die Knie. Er läßt den Bauch nach vorn. Er hebt die Milchflasche hoch. Ein weißes Lilienblatt bricht ab. Hängt an einem Faden. Hängt wie eine Zunge. Die Lilie schaukelt.

Der Soldat vor dem Fenster lacht. Sein Mund ist schief. An der linken Brustwarze hat sie ein Haar, sagt er. Er hebt den Kopf. Es rauscht in der Flasche. Der Urin steigt um den Stengel. Das Glied hängt im Flaschenhals. In der Flasche wächst Schaum.

Der Soldat knöpft sich seinen Hosenlatz zu. Der Soldat vor dem Fenster lacht in kurzen Tönen. So, sagt der Soldat im Fenster. Jetzt geh ich Eier essen. Er springt in den Hof.

Der Soldat vorm Fenster schaut ihm nach. Wie stehnge-lassen. Ohne Fußsohlen. Auf den Knöcheln.

Der Mond narrt das Dorf mit seinem Glanz. Er malt dem Soldat vor dem Fenster einen Fleck auf die Wange. Eine Ohrmuschel. Der Soldat hält die Wange in die Dunkelheit. Er horcht den Schritten nach. Er zerrt seine Mütze vom Kopf. Zwischen seinem Ohr und seiner Schulter leuchtet das Zimmerfenster.

Der Soldat vor dem Fenster grüßt sich selbst. Er steckt die Mütze in die Tasche. Er grüßt sich in den Rock. Er stellt sich mit den Knöcheln auf den Sockel. Blickt sich um. Sieht, wie die Nacht hinter ihm steht. Er steigt durchs Fenster. Neben seinem Ellbogen zittert die Lilie.

Im Zimmerfenster irrt eine Stechmücke. Immer um denselben ausgesuchten Kreis. Als hänge sie im Garn.

Das Licht geht aus im Zimmer. Die Eisenbetten kräch-zen. Wer hat mein Kissen, schreit ein Soldat. Gähnt. Und verliert seine Stimme. Die Soldaten haben sich den Hang hinauf gelegt. Auf den Schloßberg. In den Schlaf.

Das Feuer ist ausgegangen. Auf der Erde zuckt Glut. Im Dorf bellen Hunde. Ihre Stimmen sind verschüttet. Von der Dunkelheit. Matthias hört ihre Ketten rasseln. Das Eisen am Hals der Nacht.

Neben der Glut zerbricht eine Flasche. Ich melde es dem Offizier sagt ein Soldat. Eine Mütze fällt auf die Glut. Sie raucht. Sie haucht ihn aus. Melden, nur melden, schreit ein Soldat. Einem leuchten die Schuhe vor der Glut. Schreibs deiner Mammi, sagt er. Dann kommt sie wieder. Matthias sieht den Pflaumenast. Sehr gut, sagt der Soldat. Unser Of-fizier braucht wieder etwas zum Ficken.

Matthias sieht das Weiße in den Augen des Soldaten. Er hat Zähne in den Augen.

Der Mond schaut immer in dieselbe Richtung. Der wilde Wein raschelt. Matthias spürt unter den Sohlen, wie er al-les aus der Erde zieht. Und in die Beeren hängt.

Weil er ein Opfer sucht. Das langsam in den Tod hin-
überfriert. Matthias steht davor. Seine Knochen haben das
Geräusch, das niemand kennt. Als würde jeden Tag ein Ast
in ihm zerbrechen.

Matthias geht auf diesem Ast. Er geht hinaus aus sich.
Ein bißchen schon ins Andere. Matthias muß auch dort
schon atmen.

17.

Matthias öffnet die Zimmertür. Er weiß im Dunkeln, wo
das Bett ist. Wo der Tisch. Und wo der Schrank steht. Er
weiß, wie hoch der Stuhl ist. Und wo der Riß in seine Lehne
läuft.

Matthias knipst das Licht an. Um aus der Nacht nicht in
die Nacht hinter der Wand zu gehn.

Matthias knipst das Licht öfter an und aus. Als könne er
das Zimmer und sich selbst mit der Fingerspitze mit einem
Daumendruck erfinden und verschwinden machen.

Matthias knipst sich an und aus.

Matthias sieht den wilden Wein in seiner Hand. Die ihn
gepflückt und seinen Kopf betrogen hat. Mit leichten Fingerspitzen. Matthias legt die schwarzen Beeren auf den
Tisch. Sie sammeln einen Glühpunkt.

Neben den Beeren liegt der Hut.

Hinterm Schrank reden die Soldaten.

Matthias dreht den Schlüssel in der Tür einmal und noch
einmal. Er schiebt den Riegel vor. Der Schloßberg schaut.

Matthias Kleider hängen sich von selber auf den Stuhl.
Die Lehne runter. Matthias schaut seinen Händen zu. Er
weiß nicht, was sie tun. Für wen.

Der Mann mit dem Hut legt den Hut auf den Tisch. Es ist
derselbe Hut. Der Mann ohne Hut setzt sich. Aufs Bett. Er
hat Staub im Haar.

Das Kind, das allein geht, ist müde vom Gehn. Woher weiß man, daß die Zeit vergeht, fragt es.

Der Mann ohne Hut hebt die Schultern. An den Tagen.

Das Kind zieht den Schuh aus. Woher weiß man, wann ein Tag zuende ist.

Der Mann ohne Hut schließt die Augen. An den Feldhütern. Man zählt. So oft die Feldhüter in ihre Betten gehn, so viele Tage.

Das Kind zieht die Pepitajacke aus. Legt sie auf Matthias Kleider. Woher weiß man, daß man hier im Zimmer war, als man geschlafen hat.

Matthias knipst das Licht aus. Weil man hier aufwacht.

Weil die Schritte, die Matthias geht, keine Schwere haben, geht er rasch.

Matthias hebt den letzten Schritt. Hinauf aufs Leintuch.

Im Zimmer geht ein leichter Wind. Der nicht vom Fenster kommt. Und nicht die Tür bewegt.

Der Tau auf den Depots*

Die eine war Studentin. Die andere hat Maschendraht gewebt. Die dritte hatte schon zwei Kinder. Wer schlafen kann, hat sie verhört. Tannen wachen vor den weißen Steinen, dürfen sich nicht rühren.

Wie ich das wilde Rotlaub lieb. Immer unterwegs in die verwelkten Felder.

Die vierte haben Nachbarinnen angezeigt. Sitzt im Gefängnis.

Frauen wollten nicht die lauten Mäuler in den Bäuchen. Wollten nicht viermal Kinder säugen hinter dem Gesetz. Ärzte haben sie verhört. Sarg und Erde drauf.

Die fünfte ist noch Schülerin. Wohnt auf dem Land. Kommt mit dem Morgenzug zur Schule. Da weht die Hecke. Wächst neben der Schranke. Soviel Blattwerk auf der Haut. Der Bahnarbeiter hat ihr hinterm Güterzug sein Glied gezeigt. Als sie mit der Hand darüberfuhr, da wuchs ein Kindskopf dran. Blaugeädert mit der Stirn aus Porzellan. Die Hecke blühte auf dem Damm.

Hibiskus mit dem tiefen Herzen. Sie bringt das Kind zur Welt.

In den Krankenhäusern lange Protokolle. Blasse Lampen.

Unterm Abteil kriecht der Fluß. Nebel in den Kähnen. Ruderer allein im kalten Wasser.

Wer verhört, der fragt.

Wer hat das Vaterland verraten. Wer hat beim Arzt geschwiegen. Wer hat dem Präsidenten nicht sein Kind ge-

* In Rumänien ist als einzigem Ostblockland Abtreibung verboten und wird unter Strafe gestellt.

schenkt. Und das Gesetz, wer hat daran gerüttelt. Es sind vier Kinder drin.

Wie die Gegend glatt zusammenrinnt. Tau auf den Depots. Wenn der Zug schreit, ist es Tag.

Der Diktator ist ein alter Mann. Seit zwanzig Jahren überm Land. Am Morgen schlecht gelaunt und glatt rasiert. Der Vater aller Toten.

Da sitzt er neben mir der Schlaf. Da ist mein Knie so spitz, so kalt. Faß sie nicht an, die Klinke meiner Tür. Und laß mein Bettuch sein, sag ich zum Schlaf. Es ist kein Lehm. Vom Liegen wird die Wäsche gelb im Schrank.

Wer wird die sechste sein. Wer wird die nächste sein.

Und wenn der Kindskopf wächst in meinem Bauch. Hibiskus mit dem tiefen Herzen, wie trag ich ihn zuende. Wie lösch ich ihm die Augen aus.

Komm nicht mehr, sag ich zum Schlaf. Willst du das Knistern hören, wenn sich nachts mein Kleid am Stuhl erhängt.

Hab mich nicht weggeschmissen. Hab mich nie gekannt. Hab mich am Morgen nur geschminkt. Lidschatten wie Staub und Glas. Hab mich nicht angeschaut. Soll er doch glitzern um das Aug, der Tau auf den Depots.

Meine Finger

Als ich von der klebriggelben Muttermilch keine mehr trank – die Brustwarzen waren so groß wie meine Augen, und welk, und wie von innen ausgesaugt –, wollte ich gehen lernen. Ich wollte auf den Händen gehn und mit den Füßen griff ich nach dem Spielzeug.

Die Mutter sperrte mich in kleine, dunkle, möbelvolle Räume ein. In den Ecken zitterte ein Streifen Licht. Er drang durchs Schlüsselloch. Von Zeit zu Zeit schaute die Mutter mit einem kalten blauen Auge durch das Schlüsselloch, um zu sehen, was ich mach, und deckte auch den schmalen Streifen Licht mit der Pupille zu. Ich sah das kalte blaue Auge und ging weiter auf den Händen über die Möbelkanten hin.

Die Mutter trat durch eine Tür voll Licht herein ins Zimmer und trug mich zwischen ihren Händen in den Hof hinaus. Sie preßte meinen Atem zwischen ihre Brüste. Ich spürte warme faule Luft aus ihrem Mund. Die Mutter setzte mich ins Gras. Das wuchs hier grün und spitz, aber nicht wild.

Die Mutter wickelte mir beide Hände in dicke Baumwolltücher ein. Meine Hände waren rund und hilflos wie ein Knäuel. Die Mutter stellte sich hinter den Hof und schaute tagelang mit ihrem breiten reglosen Gesicht durch seinen Maschendraht. Im Draht hing ihr Gesicht und fingerspitzendünner Wind, der ihre Blicke auf mich trieb. Ich stand im Netz der kalten blauen Augen zwischen den Bakkenknochen ihres reglosen Gesichts.

Nach ein paar Tagen trat ich auf die Beine und trug die Schritte ängstlich in den eingeknäulten Händen vor mir her. Ich lernte auf den Zehenspitzen gehn. In die Sohlen wuchs mir aber spitzes Gras. Ich setzte auch die Fußsohlen ins Gras. Und Mutters Augen wurden rund und weich, als meine Sohlen sich im Gras versenkten.

Als die Mutter für sich wußte, daß ich seit Wochen nur noch auf den Füßen ging, wickelte sie mir die endlos langen Baumwolltücher von den Händen und verbrannte sie. Sie waren schmutzig und sie stanken auch. Das roch ich erst, als sie das Feuer fraß.

Sie brannten kurz und füllten rasch den Hof mit dunkelgrünem Rauch, weil auch das Gras verbrannte und eine Jahreszeit, die satt und zottig war. Der Rauch stand in grünen Schwaden um den Hof. Sie waren eine Wand. Sie kühlten aus in ein paar Nächten. Und als die grüne Glut verblichen war, stand der Maschendraht noch starrer, ruhiger und schwärzer als zuvor.

Meine Hände waren weiß und aufgeweicht. Meine Daumen waren abgefault und in dem Knäuel aus grünem Rauch verbrannt. Sie waren ausgekühlt und übers Haus gezogen.

Meine Zeigefinger zeigten nicht. Meine Mittelfinger waren nicht in der Mitte. Meine Ringfinger trugen keine Ringe. Meine kleinen Finger waren nicht klein. Meine augenlosen, meine ohrenlosen, meine nasenlosen, meine lippenlosen Finger.

Ich pflückte meine Finger jeden Abend, wenn der Tag sich zuschnürte und nichts zerstörte um sich herum als mich. Ich legte meine Nagelwurzeln in die kleine Schachtel, in die mal eine Kette eingeschlossen war, die ich kaufte, sie nachhause trug, um meinen Hals hängte, dünn wie sie war, und saugen ließ an meiner Haut. Meine Nagelwurzeln lagen rund und weiß wie Augen in der Schachtel. Sie keimten nachts viel grünen Schleim, der aus der Schachtel rann.

Und morgens standen meine Nagelwurzeln wieder aus dem Fleisch der Hände.

Es tut ein Tag sich auf. Ich weiß, was mir geschieht.

Und meine Zeigefinger sind Schlagfinger. Und meine Mittelfinger sind Zerrfinger. Und meine Ringfinger sind Reißfinger. Und meine kleinen Finger sind Ziehfinger.

Was soll aus meinen Fingern werden, die mir aus dem Fleisch der Hände stehn.

Damit du nie ins Herz der Welt gerissen wirst

Damit du niemals frierst. So ein kaltes Bett und hoch war diese Stadt, als ich zum ersten mal den Koffer in sie trug. Wo ich einmal durch den Rauch gegangen war, wie über Schienen, blieb ich. Wo ich mit mir allein geschaut hab, hängen die Fabriken.

Ach, was weißt du, wie rostig Draht sein konnte. Wie laut das Lied im Morgengrauen aus dem Lautsprecher in dikken Nebel fiel. Wie tief die Wege waren, zwischen den Maschinen.

Wenn Männer nackt am Nachmittag im Waschraum standen, waren ihre Rücken schmal und so verbogen wie verbeulte Kübel. Die Duschen rauschten. Über dem Gelände der Fabrik zuckte der Kran. Die Kabine war ein roter Würfel. Eine Frau saß drin. Wenn sie mit mir im Waschraum stand, sagte sie, daß sie laut geweint hat oben, über der Fabrik.

Weißt du, warum, wenn ich nach acht Stunden durch Straßen ging, die lange Friedhofsmauer in der Nebenstraße mich versöhnte. Damit du niemals Schritte an der Mauer zählst.

Mein Bauch war eine Tüte. Voll mit heißen Klumpen wie zerplatzte Rosen. Es wuchs ein Kind in meinem Bauch. Da war der Duft schon der Gestank, der in dich kommen sollte.

Da ging ich in das öffentliche Bad. Eine dicke Frau im weißen Kittel war Masseuse. Sie schloß mich in den Dampfkasten. Als die Kacheln an den Wänden rauchten, ließ sie aus den Fäusten Salz ins Wasser. Als ich in die Wanne stieg, hielt sie meine Hand. Als mir der Magen in den Mund kroch, war auch Blut im Wasser.

Damit du niemals gehen mußt, durch einen Park. Die Bäume waren schon vereist. Hinter den wassergrauen Stämmen war der Rummelplatz. Ich redete allein und lauter als zu zweit. Da drehte sich über den Bäumen in den dünnen Herbst die Frau aus Gips über dem Riesenrad. Wie Lady Thatcher mit dem Gletscherhaar. Wenn dieser Körper nicht mehr hält, stürzt Erde aus dem Busen. Die wird so grau sein, sagte ich, wie Schafe auf den Bergen. Die wird die Perlen an der Kehle fressen und das Gold.

Weil ich Schritte hörte, war ich still. Weil die Espe wehte, ging ich rasch. Damit die Espe niemals nach dir schlägt mit ihren Zweigen.

In allen Bäumen dieses Landes wächst ein Greis. Wenn er belaubt ist, ist es Sommer. Der Herbst kommt wie des Königs nackte Kleider. Müd sind die Poren. Wenn sie die Hymne hören, blühn sie wie zum letzten Mal am schönsten. Wenn das Volk dem Greis den Tod wünscht, wachsen die Altersflecken. Sein Leben bleibt, weil sich keine Kugel findet, in den Bäumen. Keine, die fliegt. Keine, die bohrt. Keine, die trifft. Damit du niemals hörst, wie Holz auf Holz schlägt in den Bäumen. Und wer die Kugel findet, der verliert sein Leben.

Abends ist es dunkel in der Stadt. Die Gardinen leuchten nicht. Wenn die Bretter ächzen, spür ich, daß ich fast nicht leb. Fleischfressendes Leben, das ich vor mir hab. Und hinter mir, ach, was weißt du. Damit du nie ins Herz der Welt gerissen wirst, hab ich dich nie geboren.

Wenn ich den Fuß beweg

Die Erdbeeren im Gartenbeet sind feinbehaartes bauchverletztes Obst. An meinen Knöcheln betteln sie um Fleisch. Ich stehe still. Wenn ich den Fuß beweg, fallen sie ab und fallen in die Erde, unters Haus.

Warum gehen wir in dieses Haus, wenns draußen dunkel wird. Es ist doch nur aus Erde und ein Grab. Wenn wir die Türrahmen und Fensterflügel schließen, sind die Zimmer schwarz, und lehmig ist die Luft, von der wir atmen. Wir schlucken sie, wir atmen leis, ohne den Kehlkopf zu bewegen.

Das Licht will taghell sein, glüht in der Zimmermitte auf dem Tisch, auf unsren Händen, die wir um die Teller legen. Im Radio sitzt ein Mann, der spricht, der nicht zu uns gehört, der auf dem Tisch nicht unser Essen sieht und unsre Hände, die wir abgerichtet haben, uns das Essen brockenweise in den Mund zu drücken. Die Zähne beißen und der Gaumen schluckt.

Das Radio spricht, als ob die Welt aus Wörtern wär, als wär sie nicht gelebt, sondern gesprochen, als wär hinter dem Tag, der war, der Mann, der spricht, und hinterm Leben lange Sätze, nicht der Tod.

Die Hände, die wir abgerichtet haben, halten Nadel, Faden, Zwirn, kleine Gegenstände, über die niemand spricht, im Radio nicht und nicht am Rand, an dem wir leben.

Und manchmal strecken wir verklärt die Arme aus, und manchmal regen wir die bleichen Finger unsrer Hände. Und wir vergessen uns, weil wir vergessen sind.

Manchmal fällt die Nadel uns ins Gras, manchmal reißt der Faden uns. Manchmal wollen wir hinübergreifen in die Welt.

Vater geht sonntags durch die Sonne und trägt die Hosenträger unterm schwarzen Rock. Der macht die Schultern breit und hart den Hals. Der macht die Hände schmal und die Gelenke dünn. Und lau macht er den Mund.

Der Hut ist schwarz und grüßt von selbst. Grüßt schweigsam, samtig. Nickt bedächtig: Guten Tag.

Die Mutter sitzt im Türrahmen und sucht das Nadelöhr und fingert mit der Hand, bis sich der Zwirn verknäult. Die Nadel ist ein dünner, nackter Spieß.

Der Kuckuck ist schon dürr und alt, steht unterm Himmel auf dem Dach und ruft. Die Mutter sticht die Nadel sich ins Kleid über das Herz und hängt die Hände leer an sich herab, sucht mit den Augen seinen kleinen, grauen Kopf und fragt: Kuckuck, wie lang leb ich noch.

Der Kuckuck schreit ein Jahr und noch ein Jahr. Und jeder Tag zerbricht in seinem Mund. Sein Schnabel schließt sich und das Jahr, das er gerufen hat, ist kurz und grau, wie seine Federn sind. Das Jahr ist klein.

Den Vater treibt die Dunkelheit ins Haus. Sein Hut hat ihm den Tag verdeckt. Der Vater schwankt im Wein und kotzt über den Rand, an dem wir leben.

Das Radio summt. Der Mann, der nicht zu uns gehört, schaut stur, wie wir schweigend um die Löffelstiele greifen, wie wir lautlos kauen, in der Musik, die symphonisch fremd ist, wie wir die Augen niederschlagen und die Köpfe senken.

Die Mutter schlägt der Reihe nach die Betten auf. Sie sind so tief, daß man versinken muß, wenn man das Leintuch sieht.

Der Vater liegt mit kahlem Kopf. Der Wein schwemmt ihm die Augen zu und ist wie Schlaf.

Die Mutter trägt die Abende ins Bett. Sie sind so unsichtbar und füllen doch das Jahr, mit dem der Kuckuck droht.

In Vaters und in Mutters Körper rinnt der Sand, ist fein und warm. Die Poren glucksen und die Adern schweigen.

Du wirst noch wachsen, sagt der Mond. Deine Mutter ist ein altes Kind, sagt er. Und sagt: Dein Vater ist so schwankend und so schwer.

Auf dem Pflaster gehn die Sterne auf und meine Füße stehen still und meine Hände reden nicht.

Ich wart auf einen andern Tag, sag ich zum Mond. Ab morgen werde ich den Kuckuck fragen, wo ich nicht vergessen bin und wo sie bleibt, die Welt.

Die Mutter wird mir eines Tages still und überlegen sagen: Dein Vater war zu schwankend und zu schwer.

Im letzten Jahr wird sie den Kuckuck suchen und die Finger werden ihr durch die Wangen wachsen. Und rascher als mein Vater wird sie gehn. Denn sie ist leicht und wird den Lärm nicht spüren.

Im Radio wird der Mann, der spricht, nicht sehn, daß auf dem Tisch die Hände fehlen. Und seine Sätze werden meine Augen streifen, und mein Ohr.

Und seine Sätze werden mir den Sinn verschließen. Denn seine langen Sätze reichen nicht hierher, an diesen Rand, wo Erdbeeren um Fleisch an meinen Knöcheln betteln und abfallen, wenn ich den Fuß beweg.

Das Geweih

Vorgestern hab ich Seidl auf ein Bier eingeladen, sagte Ferdinand. Seidl, staunte ich.

Er ist seit sechs Wochen mein Chef, sagte Ferdinand.

Ah, sagte ich. Spielt er sich auf.

Er hat keine Zeit, sagte Ferdinand. Dreimal in der Woche fährt er dienstlich weg, und samstags kommt er nicht. Seidl hat den Kellner gerufen. Er hat mit den Fingern geschnippt, sagte Ferdinand. Der Kellner ist gleich gekommen und hat sich verneigt und Seidl hat ihm seine fünf Finger gezeigt und einen Daumen und einen Zeigefinger dazu. Seidl hat ein neues Auto, sagte Ferdinand. Der Kellner hat Seidl sieben Bier gebracht. Zwei hat Seidl ihm gleich aus der Hand genommen. Eins hat er vor mich gestellt und das zweite hat er in einem Zug ausgeschlürft, sagte Ferdinand. Der Schaum hat ihm um den Mund geklebt und Seidl hat ihn von einem Glas zum andren nicht abgewischt. Seidl hat mir erzählt, er hat Mitte September in einem Dorf drei Hühner überfahren. Es war um die Mittagszeit. Das Dorf war leer, wie ausgeblasen, hat Seidl gesagt. Die Leute waren auf dem Feld. Nur die Hunde haben es gesehn und haben gebellt. Seidl ist aus dem Dorf hinaus und an den Feldern vorbei gefahren. Er hat die Leute auf dem Feld gesehn, aber die Leute haben ihn nicht gesehn. Es haben nur viele Schüler am Feldrand gestanden, die haben gelacht und gewinkt. Wenn die das gewußt hätten, hätten sie mit Steinen geschmissen, hat Seidl selbst gesagt. Nach dem sechsten Glas hat Seidl wieder mit den Fingern geschnippt. Der Kellner hat nur ein Bier gebracht. Seidl hat ihm das Glas aus der Hand gezerrt und geschrien, was das heißen soll. Da wird man von so einem, von so einem armen Schlucker, von so einem leeren Nichts herabgeschaut, hat Seidl geschrien. Jetzt fang ich erst zu trinken an, hat Seidl gesagt. Der Kellner hat mit seinem Lappen auf dem Tischtuch herumgewischt und hat so getan, als würde er nichts hören. Aber er hat verstohlen von unten auf Seidls Hand geschaut. Er hat Seidl drei Bier gebracht. Seidl hat ein Bier wieder gleich ausgeschlürft. Das achte Bier hat er in der Hand hin und her gedreht, und statt zu trinken, hat er erzählt, sagte Ferdinand. Seidl hat Ende Oktober auf dem Feld ein Schaf überfahren. Nur der Mais hat es gesehn und der liebe Gott. Das Schaf war leider geschoren, aber das Fleisch hat gut geschmeckt, hat Seidl gesagt. Seidl hat das achte Bier ausgeschlürft und seine Augen haben traurig übers Glas geglotzt. Das neunte Bier hat Seidl von sich weggeschoben und mit dem Zeigefinger im Bierschaum gebohrt, und ihn abgeleckt. Seidl ist ganz nah an meinen Stuhl gerückt, sagte Ferdinand. Mitte November ist mir vor einer Brücke ein hoher schwarzer Schatten vor die Lichter des Autos gelaufen, hat Seidl mir ins Ohr gesagt. Der Schatten hat ein weißes schimmerndes Geweih gehabt.

Also ein Hirsch, hab ich zu Seidl gesagt und gelacht.

Also ein Hirsch, sagte ich zu Ferdinand.

Seidl ist schnell weggefahren. Nur der Mond hat es gesehn und die lieben Sterne, hat Seidl gesagt. Seidl hat sich den Bierschaum mit dem Zeigefinger über den Mund geschmiert. Er hat das neunte Bier ausgeschlürft, sagte Ferdinand. Seidl hat sich an die Tischecke gesetzt. Er hat in sein leeres Glas geglotzt und sich mit dem Zeigefinger im Ohr gebohrt und das Ohrenschmalz ans Tischtuch geschmiert und geseufzt.

Am Abend ging ich ins dunkle Zimmer. Das Fenster schimmerte von der Straße her wie Wasser unter einer Brücke. Ich stellte eine brennende Kerze aufs Fensterbrett. Mein Körper war ein hoher schwarzer Schatten auf der

Brücke. Ich hob beide Arme über den Kopf und spreizte die Finger. Ich bewegte die Arme.

Meine Hände waren ein weißes schimmerndes Geweih in der Fensterscheibe.

Der kalte Schmuck des Lebens

Immer, wenn das Haus für die Behörde fertig ist, graben Männer Erde auf. Die Erde wächst wie eine schwarze Säge über ihre Köpfe.

Immer, wenn ich näher komm, spür ich die eignen Schritte unterm Kinn. Ich geh mir durch die Mundhöhle. Ich geh mir in den Hals.

Im Graben ist ein nasser Wind, in dem die Männer stehn. Sie stehen tief.

Hoch oben steht ein Zeigefinger.

Ein Befehl im Kühlen noch, am Morgen.

Ein Befehl, weil bald die Sonne sticht.

Und abends durch das Bett wächst, wenn die Zehe friert, die Decke in den Morgen.

Täglich über Männern ein vergilbtes Zucken.

Das ist mehr als ein Beruf.

Immer, wenn das Haus für die Behörde fertig ist, bauen die Männer einen Pförtner.

Im nassen Wind bauen sie einen Stuhl und eine Uniform. Aus Regenwürmern weichgeflochtne Schnüre. Aus Wurzeln harte Fersen. Aus Grundwasser die kalte Stimme durch den Korridor mit der Frage nach dem Grund für den Besuch.

Immer, wenn das Haus für die Behörde fertig ist, weiche ich der Säge nasser Erde aus.

Der Pförtner wärmt das Grundwasser in seinem Rock. Schreiend merkt er, daß mein Scheitel nicht erschrickt, weil mein Gehör ein Ohr und kein Gehorchen ist.

Mein Mundwinkel ist schwer.

Immer, wenn das Haus für die Behörde fertig ist, ist es mein kleines und geknicktes Recht, das meinen Körper sichtbar macht. Lautlos treibt es mich auf kalte Stiegen.

Wenn sie es schlagen, wird es hart.

Wenn sie es kneten, wird es schwer. Springt nicht wie ein Ball.

Wenn sie es übersehen, liegt es auf den Dielen wie ein Stein.

Wenn ich auf dem Teppichrand, hinter der dicken Tür, vor dem Zeigefinger steh, jagt der Wind von draußen einen Baum durchs offne Fenster. Akazie, Linde kann es sein. Oder das bloße Rauschen.

Oder das bloße Schweigen.

Was gesprochen ist, das ist gesagt. Und abgetan.

Abends, wenn die Zehe friert, wächst die Decke in den Morgen. Wie sich der Schweiß verändert, wenn ein Knochen aus dem Schlaf zu schwer ist und nicht untergeht. Wenn ein Finger oben bleibt und schwimmt. Wenn ein Wirbel aus dem Nacken fortgeht. In den Hals.

Noch hängt es mir am Hals, mein kleines Recht. Hängt mir zum Hals heraus. Über mir der nasse Wind. Wie zwischen Tod und Tod.

Wie zwischen Tod und Leben.

Noch glitzert er in mir, der kalte Schmuck des Lebens.

Fressender Schuh

Wozu gibt es, mein Herz, ein weggetriebenes Gelände.

Die alte Frau, mager und klein. Von Kopf bis Fuß in schwarzen Sommerkleidern.

Als wären sie gemessen, seine Schritte, an demselben Leben, geht der Mann neben ihr her.

Ein Schritt von ihr, entfernt, als gehe er, wegen dem schwarzen Rand des Huts, ins Schweigen, den Weg ein Stückchen in die Breite.

Vielleicht ist noch was da, etwas Verlorenes, zwischen den beiden.

Fängt an bei ihr, an ihrem windverscheuchten Kragen, und reicht über die Ahnung seines blaßgestreiften Hemds hinaus.

Sollen die Rücken das wie Körperfleisch ertragen, was man noch nicht weiß.

Fersen, verwildert in den Jahren. Wann hat im Schuh das kleine Tier gequietscht.

Wege knirschen in die Stadt. Vollgestreut mit grauen Steinchen. Jetzt werden sie gemahlen.

Es ist Felsen drin.

Reicht, wozu gibt es das, mein Herz, über ein weggetriebenes Gelände weit hinaus.

Die Taschenuhr

Um die Stadt wird ein Rand gebaut, ein Rand zum Wohnen. Da ist die Erde so tief ausgehoben wie ein Mann. Ich hab hineingeschaut.

Die Dörfer liegen tief im Feld, und das ist Erde. Von dort komm ich, komm ich her.

Großvater war Großbauer. Sein Feld war sein Rahmen um sein Bild. Groß stand er mitten drin. Unter seiner Nase schaukelte sein Schnurrbart. An seinem Rock glänzte seine goldene Taschenuhr.

Die Zeiger gingen um und um, soviel Erde hatte er in seinem Rock, in seiner Innentasche. Sie hing ihm schwer ums Herz.

Die Erde, die er nicht mehr tragen konnte, hatte er in Banken in der Stadt.

Als er aus seinem Rahmen sah, wie groß er war, setzte er auch seine Knechte um sich an den Tisch. Sie sprachen nicht. Nur Vater Unser sagten sie mit ihm und aßen rasch.

Als er sich an seinem Tisch so sicher fühlte, als könnte nichts geschehn, nahmen SIE, sagt er, ihm allen Grund.

Das Leben nicht.

Die Knechte sind schon lange tot. Die Gräber sind so klein, sag ich, sind bloß noch Wiese, bloß noch Gras. So wie für einen Knecht, sagt er. Er schluckt seine Zunge.

Großvater steht immer noch in seinem kahlen Bild. Sein Schnurrbart schaukelt nicht. Er knöpft den Rock noch aus Gewohnheit zu.

Da tickt die Taschenuhr.

Die Tote vom Armenfriedhof

Dein Schneider ist aus Tuch.

Dein Kleid hängt im Gestrüpp. Blattlaus und Wind. Dein Schuh ist unterm Schlamm. Das Wasser hat sein Bett. Dein Seidenstrumpf. Die Masche ist gelaufen.

Dein Rücken ist dein Kissen. Geknöchert ist die Naht dein Schulterblatt.

Lungen Flügel Wirbel Säule Ell Bogen Mund Winkel Lippen Rand Stirn Höhle.

Die Herzkammer. Kein Weg. Kein Zaun. Willst du den Mann, der Mörtel zu dem Haus der Fremden trägt, erschrecken.

Brust Korb.

Die Mulde unterm Sand. Die echten Rippen und die falschen Rippen.

Der große Sägemuskel. Der Kappenmuskel.

Der harte Gaumen und der weiche Gaumen.

Ohr Muschel Haar Wurzel Hand Teller Knie Scheibe.

Das Tränenbein. Der blinde Fleck.

Am Abend Sonnensturz. Dein Schneider ist aus Glut.

Die Ratte friert.

Es fährt ein Güterzug mit gelben Augen durch die Nacht.

Hat sich die wilde Furcht der Welt in dir verirrt.

Mein Herz fliegt durch die Wange

Ich weiß, daß heut der Laden wieder leer ist. Daß der Ohrring wieder glitzert, wenn die Verkäuferin den stumpfen Gehsteig durch die Scheibe sieht. Wenn sie sich schminkt, dann lehnt sie an der leeren Aluminiumpfanne. Die stinkt nach Herz und Leber. Und trocken ist das Blut an ihrem Griff. Ich weiß, daß die Verkäuferin ab zehn Uhr morgens im weißen Kittel an den Fingernägeln kaut. Und, daß die Mitesser auf ihren Wangen schwarz sind. Rund wie Mohn.

In der Scheibe kenne ich mich nicht. Meine Kehle ist ein Strumpf. Mein Ohr, die alte Brosche unterm Haar. Mein Mund, das nasse Fleisch einer Melone.

In meinem Bauch wächst eine Greisin. Und meine Augen werden dick, wenn sie sich rührt. In meinen Lungen weht ihr Haar. Und, wenn ich horch, geht sie auf ihren dünnen Beinen.

Weit liegt der Park. Und wenn der Wind weht, ändern sich die Bäume. Es sind nicht viele. Doch, weil ich immer auf die Stämme schau, geh ich im Kreis. Dann wirds ein Wald. Und leer.

Bei uns, Herr Reagan, gibt es keine Companeros. Nur Dreck unter den Fingernägeln gibts, und der hat nichts genützt. Und Fresken gibts, Arbeiter aus kleinen Steinen, neben dem Kanal. Und von der Donau bis zum Meer kein Schiff, Genosse Präsident.

Und lauter Stille.

Vielleicht kommt bald ein Präsident, der viele umgebracht hat, dieses Land besuchen. Geliebter Sohn des Volkes, dann werdet ihr die Leichen bergen in der Stirn. Du deine und er seine.

Wenn es in Polen langsam schneit, fangen sie an zu beten.

Schneeweißes Land. Und schwarz ist die Madonna. Die wollen doch nichts arbeiten, die Polen. Die streiken, sagt dein Volk, Genosse Präsident.

Bei uns müssen die Männer arbeiten. Denn in den Hälsen rosten die Maschinen. Die Frauen kochen. Und die Kinder spielen. Die Greise klagen. Die jungen Witwen und die alten Mütter trauern. Bei uns hat keiner Zeit zum Streiken, Genosse Präsident.

Und wenn das Radio pfeift, zählen die Männer Geld. Die Frauen bügeln. Der Putsch ist weit im Süden. Und die Entführung ist im Westen in der Luft. Das Attentat ist wieder nicht geglückt im Norden. Nur der Schofför ist tot. Und Rajssa ist die schönste Frau im Osten.

Und meine linke Herzkammer hab ich nicht angemeldet. Drum steht sie leer. Ich weiß, mein Herz, es ist verboten. Mein Herz fliegt durch die Wange, Genosse Präsident.

Wenn die Nacht alles zusammenschnürt, dann sind die Straßen leer. Der Himmel wandert. Es hat schon lange nicht geregnet. Und nirgends brennt ein Licht.

Was so naß ist. Was so leuchtet vor dem Wohnblock.

Jede Nacht das Ohrgehänge der Verkäuferin.

Eidechsen

»Der Rücken ist nackt der Wildnis ausgeliefert.« Elias Canetti

Die Blätter fächerten im irren Licht, als ob hinter den Blattrücken und feinen Adern der Tod nicht schwarz und lautlos in die Stiele beißen würde.

Die Bäume hatten einen Klang.

Doch jene junge Frau, die über den Asphalt unter die Bäume ging, ging so, als glaube sie, sie gehe in die Stille.

Ihrem Gang sah man das Nachdenken im Gehen an.

Wenn die Hacken ihrer Schuhe nicht so hart gewesen wären, hinter ihren Fersen, wäre sie nackt mit weißen Waden durch den Widerschein des Lichts gegangen.

Wenn sie sich nicht augenblicklich, unerwartet umgesehen hätte, wär ihr das Haar nicht in die Stirn gefallen.

Wenn der Mann hinter ihr in schwarzen sarggeschloßnen Hosenbeinen nicht ihr hinterm Haarsaum angewachsenes Ohr gesehen hätte, wär er nicht auf ihren Rücken zugegangen.

Wenn sie in seinen Fleischkrampf nicht hineingesehen hätte mit dem Gesicht zwischen den Nagelwurzeln seiner großen Hand, wär ihre Lust nicht morgens immer noch von gestern und abends immer schon von morgen, wie Eidechsen unter den Stein, in ihren Bauch gekrochen.

Dann wär an einem dunkelgrünen, engen Tag der Sarg leer und geschlossen, ohne sie, hinter den Blattrücken und feinen Adern an ihr vorbeigeschwommen.

Und hätte ihren Rücken nicht berührt.

Im Sommer wächst das Holz

Dieser Sommer wird nicht halten. Wo geht er hin, wenn er am Mittag seine Schleimspur zieht wie faule Räder.

Wie lange steht der Tau. Iris hinterm Zaun. Gehört nicht mir. Verteilt die Zungen überall im Garten.

Der Greis sitzt in den Blättern. Als er zu sehen glaubte, wie ein Ast sich durch das Blühen quält, war er schon eingeschlafen.

Was ist das Gehn im Morgengraun. Das ist kein Park. Im Sommer wächst das Holz.

Die Zeitungen sind rot. Zwischen mir und ihnen liegen meine Hände. Fast möchte ich nach mir greifen, um die Sätze zu verstehn.

Wen soll ich fragen, wann mein Mund, und was, geredet hat. Wer weiß es, wo ich Tag und Nacht verschwinde. Das Wohnen ist kein Ort.

Ich schweige, wo mein Haar zuende ist. Meine Fingernägel wachsen, als wär ich hinter ihrem Rand am Leben.

Wie eine Schere ist es, wenn mich Freunde anschaun und es gut meinen mit mir.

Gerade noch für mich behalten, habe ich ein Wort. Es ist kein Gegenstand und kein Gespräch. Und nicht der Rede wert. Mit den Lippen nicht zu sagen.

Es war Nachmittag. Ich wollte lachen. Durch das offene Fenster wollte ich die Scheibe fragen, ob mein Mund gealtert ist, in diesem Augenblick. In diesem einen.

Müde räumte ich das Zerren von den Wangen in die Hände.

Ist eine Stadt im Fensterglas ein Grund, zu sagen, ich hab hier gelebt. Nie hat ein Land genügend Platz, um sich im Fensterglas zu spiegeln.

Vorläufig, sagt das Gras. Es grünt am Rand. Wielange noch, frag ich, ist eine Republik ein Ellbogen am Arm des Präsidenten.

Eine Wolke ändert sich und zieht.

Das Gehen durch den Park im Morgengraun. Ist das ein Arbeiter. Ist das ein Park.

Und abseits, diese Frau. Sie hat dieses Kind gehabt. Es ist vor Jahren aus den Pflanzen in die Stadt gezogen. Jetzt ist es schon um zwanzig Jahre älter. Wenn es Briefe schreibt, der kleinen Bäuerin auf großen Feldern, ahnt es, wie man in schiefen Schritten sich im Mais durchs Leben hackt.

In den Briefen steht: du sollst nicht so viel schuften.

Wenn ich Blumen kauf, liegen sie ohne Wurzeln auf den Tischen. Ich suche mir die schönsten aus, hab mit der Erde, die sie trägt, nichts mehr zu tun.

Nur, wenn ich mein Gesicht, so zögernd wie ein Tuch, zum Riechen neig, denk ich an einen Garten.

Ich hätte meinem Körper gerne eine Arbeit angeboten, die anfängt mit dem Gehen durch den Park im Morgengraun. Und meinem Kopf einen Beruf.

Bald häng ich aus der Welt hinaus.

Ich hör den Fahrstuhl durch die Wanduhr fahren. Wenn er klappert, fährt er leer. Manchmal kommen Freunde. Sind mal ein Wunsch und mal ein Unbehagen.

Der Fahrstuhl bleibt nicht stehn.

Was will die Zeit. Ich spüre sie und weiß, daß sie für keinen meiner Freunde Zukunft wird.

Sei still, sag ich, wenn alle schweigen.

Schau weg, es gibt ihn nicht, den Tod. Es ist die Hitze hinter meiner Schläfe.

Laß sein, sag ich, wenn sie mir Jahre einstreut. Laß sein, wenn meine Zunge hackt.

Schau hin, sag ich. Und Sterben ist das Letzte, was wir tun.

Wie dieser Staat die Hände überlistet. Siehst du die Spuren zwischen uns. Das sind nicht wir.

Sei still, sag ich.

Ich hör den Fahrstuhl durch die Zimmerwände in den Himmel fahren.

Kalte Bügeleisen

Ein kleiner grauer Mann geht am Parkrand. Oben in den Bäumen.

Der kleine graue Mann hat zwei harte Schuhe wie zwei kalte Bügeleisen an.

Der kleine graue Mann führt einen faulen Rock, einen leeren Hund und zwei Flaschen Milch spazieren.

Der kleine graue Mann bleibt stehn zwischen den hohen Bäumen. Er horcht.

Der Wind treibt seine Schädeldecke auf.

Der Wind treibt seine Schädeldecke zu.

Der Wind treibt seine Schädeldecke auf und zu.

In einem tiefen Sommer

Am Waldrand geht ein grüner Mann ins Feld. Er hat ein kahlgeschorenes Genick.

Der grüne Mann hat einen grünen Rucksack. Aus dem Rucksack schaut ein Hasenkopf hervor. Das Blut klebt schwarz verdorrt um beide Ohren.

Der grüne Mann trägt einen grünen Hut. Über der Krempe ist ein Seidenband mit einem Edelweiß und einer Feder dran.

Die Feder ist von einem wilden Huhn.

Sie steht so still, als hätt das wilde Huhn, im Waldgebüsch oder im flachen Feld, in einem tiefen Sommer die Zeit nicht mehr gehabt zum Schrei.

Überall, wo man den Tod gesehen hat
Eine Sommerreise in die Maramuresch

Der Wind treibt eine ganze Gegend über diesen kleinen Bahnhof. Der ist ein glatter Würfel aus Beton und weiß wie Kalk. »Iza« heißt er wie das Flußtal, das weite, lange, grün verschlungene Gestrüpp. Vier Schienenstränge liegen zwischen Steinen. Hinterm Bahnhof stellt ein Berg sich quer in ihren Weg, lockt sie wie Schlangen in sein nasses, dunkles Maul. Wie durch ein Grab fährt jeden Tag der Zug durch diesen Tunnel. Die Schlangen kriechen und dem Zug schreit wund das Rad, geht in die Knie, quietscht schrill, wie Eisen schreit in Rost und Dunkelheit. Die Reisenden verschluckt der Moder. Er zerrt durchs offne Fenster, wie eine Fledermaus, am Vorhang. Sie denken nicht an Tod. Ihre Gesichter sind bloß eingegraben. Sinnlos halten sie die Augen offen. Wie aufgerieben reden ihre Zungen. Dunkel warten alle Fenster, als ob jedes Abteil, zwischen dem Licht dahinter und davor, ein fahrendes, aus der Erinnerung herausgetriebenes Gedächtnis wär.

Vor dem Bahnhof steht ein Berg. Aus gelbem Lehm und voll mit Löchern ist sein Hang, als wär man sehend in der Mitte eines Bergs, der auseinanderbricht und Erde rieseln läßt. Grünes Astgewirr mit dunkelroten Beeren wächst um seinen Rand und hält den Lehm zusammen. Schwalben zwitschern im großen Schwarm, wie aneinander festgebunden in der Luft. Ein graues, mit schwarzem Schwalbenmuster bedrucktes Kleid. Zu hoch sind ihre Töne, zerreißen am starken Wind und an sich selbst. Die Schwalben flattern aus dem Kleid hinaus. Sie lassen sein leeres Tuch den Lehm entlang und in die roten Beeren ziehn. Die schütteln sich. Keine fällt ab. Die Schwalben aber tauchen ihre weißen Bäuche in den Hang, in die lehmigen, fausttiefen Nester. Ich seh sie nicht mehr. Ihre Schnäbel sind zu müde und ihre Köpfe sind zu klein.

Hinter dem weißen Würfel kriechen Dächer zur Straße runter und sind ein Dorf. Zum Bahnhof gehört nur das Gestrüpp, und der Krampf, mit dem der Wind in die Bäume greift. Und ein paar schwerbetrunkne Männer in weißen Bauernhemden, die, dem Schnaps nach, in die Irre gehn.

Aus dem Dorf führt ein Pfad zum Bahnhof rauf. Er ist so schmal, daß man den einen Fuß rasch vor den andern setzen und immer gehen muß. Denn, wenn man ihn betreten hat, dann deckt das Gras die Knie mit braunen Rispen zu, dann zeigen wilde Margareten ihre weißen Zähne, dann ist der Schritt so steil, daß feines Wiesengras die Stirn berührt.

Nur eine asphaltierte Straße hat das Dorf, die übersichtlich ist vom ersten bis zum letzten Haus wie eine Ansichtskarte. Und weil es auf der Ansichtskarte Sonntag ist, gehn Leute auf der Straße auf und ab. Den Mädchen flattern weiße Rüschen um den Hals und um die Arme. Und um die Hüften grüne Faltenröcke aus Kaschmir mit feuerroten Blumen. Die Rüschen sind wie Schaum an ihre Haut getrieben. Schaum, der knistert, aber nicht verschwindet. Die Männer gehen langsam schaukelnd und nicht vom Wind verzerrt. Der Schnaps hält zwischen beiden Augen den brennenden, gleich starken Wirbel wie der Wind. Die Männer tragen auf der Schulter und auf der rechten Rückenhälfte, der Länge nach gefaltet, die Pelzleibchen. So ist auf ihrer linken Brusthälfte, im weißen Bauernhemd, der Sommer. Und auf der rechten Hälfte hängt der Schafspelz mit der schon vergilbten Wolle, ein verlorner Wintertag mit altem Schnee.

Wie aus dem weißen Rüschenschaum der Frauen und aus den linken, sommerlichen Brusthälften der Männer hinausgetrieben, kommt eine kleine dürre Frau in schwarzen Kleidern den Pfad herauf, zum weißen Würfel. Ihre

Schritte sind rascher als der Atem. Sie schlägt die Arme durch die Luft und schreit. Hinter ihr kommt schweigend ein dicker Mann mit einem schwarzen Hut. Er geht langsam. Er hat zum Gehen keine Luft mehr hinter ihrem Schrei. Und hinter ihm gehn stumm drei, gleich alte, ins selbe schwarze Tuch gehüllte Frauen.

Die Schreiende steht vor dem Schienenstrang. Ihr Gesicht ist faltig, ihre Augen naß und klein. Sie schreit die Totenklage. Der dicke Mann nähert sich ihr, greift vorsichtig mit beiden Händen in ihren Schreck. Ihr Körper hält sich, nur ihre Zunge, ihre Lippen finden keinen Halt. Die drei schwarz gekleideten, gleichalten Frauen weinen gleichmäßig und still, schauen die schluchzende, älteste an, als wären sie um sieben oder vierzehn Jahre zurückgeblieben hinter ihren Jahreszeiten, hinter den Sommern und den Wintern der geteilten Rücken. Als wär in diesem Altersunterschied der Grund zum Klagen und der Grund zum Schweigen. Als wär der dicke Mann für ihre Tränen ein Gebot.

Die Klagende kommt dem weißen Bahnhofswürfel nicht zu nah. Sie stellt sich auf den letzten Streifen Gras, neben den Hagebuttenstrauch, meidet die Wartenden und quält sie doch mit ihrem Schrei. Sie will durch diesen Abstand, den Schienenstrang, den Zug, die Reisenden mit einem kalten Hauch verdammen, bis sie der Tunnel schluckt.

Hinter dem Zugfenster ist ihre Hand so klein, als wäre sie im letzten Augenblick, unter den ersten Brocken Erde den Totengräbern und dem Sarg entkommen. Schon wird es im Abteil dunkel, schon schreit das Rad. Schon rede ich mit mir, um da zu sein im Dunkeln. Meine Augen bleiben offen, werden starr und kalt. Ich spür die Fledermaus.

Der Wind reißt von den Holzgerüsten auf den Wiesen leichtes Heu.

Blitze werfen ihre Sensen in die Gräser. Der Donner rollt über den Zug. Die Bäume triefen nicht satt und grün. In ihren Spiegeln ertrunken, am Regen ertrunken sind ihre Blätter.

Am Wegrand sitzen zwei Hühner. Sie zittern. Ihre Beine sind voll mit Schlamm und die Zehenhäute vom Wasser bleichgewaschen. Die Krallen sind spitz und dunkel wie Dornen. Ich denk an die fleischroten Sandalen, die ich im kleinen Schaufenster einer Schusterei in der Stadt gesehen hab. Die Schuhspitzen waren von den hohen Absätzen steil geneigt. Vor ihnen lag ein Zettel, auf dem »Sandalen aus Truthahnleder« stand. Ich hab im grauen Raum der Schusterei die Hämmer klopfen gehört. Nägel auf Holz. In einer Schachtel hab ich blinkende Schnallen gesehn und hölzerne Leisten wie Füße waren nebeneinandergestellt, auf den Tisch. Der Schuster beißt sich auf die Lippen und schwitzt, und atmet. Jetzt seh ich den halbwilden Truthahn im Klettenstrauch. Sein Kopf ist dunkel und weiß nicht, wie ihm geschieht. Sein Gefieder ist dunkel. Fleischrot kann nur die Schneide des Messers beim Schlachten sein.

Und fleischrot kann auch das Gestein aus der Mineralienausstellung in der Altstadt sein. In Glaskästen rötliche Lungen und Herze, erstarrtes, geringeltes Gedärm. Graues versteintes Gehirn und rosa der Gedächtnisschwund darin, mit Glimmer. Kalt glitzern die schwarzen Nadeln, zu Klumpen zusammengewachsen. Sie lassen keine andre Farbe zu. Fressen sich selbst. Und neben der Wand die weiße Lagune aus starren Tropfen. Sie zerrt an meinen Augen und deckt mich zu. Ein Eisstein, ein Bett für ein Kind, für ein totes Gesicht, das niemandem ähnelt. Es muß niemand drin liegen, und niemand drin sterben.

Und unterm Himmel, eingeschlossen in hohe, gemauerte Zäune seh ich die jüdischen Friedhöfe. Graue Steine im Wiesengras am Straßenrand. Zwei Männer mähen die rotbraunen Rispen wie Haar. Menschen wie Gras. Wilde Margareten mit weißen Zähnen, blaue Glocken und Blätter wie Pfeile. Wie ist dieser Kreislauf der kleinen, dunkelroten Kirschen in den Friedhofsbäumen. Große Krähen sitzen auf den Ästen und spucken blutige Kerne aus. Wie schmecken die Kirschen, wie schmeckt dieses Heu. Woher sind die schwarzen Heidelbeeren, die ich von einer Bäuerin mit dunkelblauen Händen kauf. Ich eß. Meine Zähne sind schwarz und der Mund ist mir bitter. Da steht der große schwarze Stein, das Denkmal für 38000 Juden aus der Maramuresch, die im Mai 1944 nach Auschwitz deportiert und vergast worden sind. Da steh ich vor dem weißen, fangarmigen Kerzenleuchter, der nicht zucken kann. Meine Finger sind schwarz von den Heidelbeeren. Und, wenn ich jetzt sterben müßte, wär mein Haar keine Bürste, meine Knochen kein Mehl. Mein Tod wäre deutsch wie der Tod meines Vaters. Er ist in der SS gewesen, nach dem Krieg ins Dorf zurückgekehrt, hat geheiratet und mich gezeugt. Dann hat er zwanzigmal am Weihnachtsbaum das Kerzenlicht ertragen. Zwanzigmal hat er ins Neue Jahr gelebt. Zehn Jahre vor seinem Tod ist der Dichter Paul Celan mit dem Judenschmerz der Bukowina ins Wasser gegangen. Der Tod meines Vaters war der Tod einer Krankheit.

Kein Reiseführer weist auf dieses Denkmal hin. Ich bin gedemütigt von meinem deutschen Vater und nocheinmal erniedrigt und betrogen vom Schweigen der rumänischen Geschichte.

Über die Eisenbahnbrücke in Oberwischau geht ein Mann mit zwei Wasserkrügen. Sein Hemd ist naß. Sein Gesicht ist klein und älter als er. Er spricht deutsch, zipserdeutsch. Sein Vater war, wie alle hier, in der SS. Welche der Straßen dieser Stadt war mal die Judengasse. Und später das Judenghetto. Auf der Bank sitzen drei blonde Mädchen. Sie tragen altmodische, für die Jahreszeit zu dicke Kleider und dünne Halsketten mit Kreuzen dran. Sie sprechen deutsch. Auch wenn sie lachen, auch wenn sie schweigen. Die Bäume dieses kleinen, dürren Parks spüren den späten Sommer. Gelbe Blätter fallen auf die Bänke, in die Wege. Zwei blonde Mädchen gehn vorbei, haben für den Spaziergang in den Kleinstadtabend weiße Söckchen an. Die Zipsermädchen sind deutsch geblieben: sie gehen eingehakt, sie flüstern und kichern. Sie schauen mit den immerblauen Augen den Soldaten nach.

»Sehens, die Deitsche warn gute Leit, bevor is kommen der Hitler. (...) Als is kommen der Hitler, alles is wordn anderscht: pletzlich war aso a groißr Haß da.« (Schmerz bis in den Tod. Ein Lebensbericht der Baila Rosenberg-Friedmann aus Oberwischau – in »Neue Literatur« Nr. 7, 1984, S. 45.) Der jüdische Friedhof ist weit oben auf dem Hügel. Vier jüdische Familien leben noch verstreut in Oberwischau. 1942 lebten hier 5 000 Juden, 1946 kehrten 32 Überlebende aus der Deportation zurück. Der Taumel, ausgedrückt in Zahlen, auf weißem Papier.

Auf der Anhöhe am Dorfeingang von Moisei stehn zwölf hohe, weiße Steinsäulen im Kreis. »Die Märtyrer von Moisei« heißt das Denkmal für die 29 Opfer, die aus dem Arbeitslager von Oberwischau geflüchtet und am 14. Oktober 1944 in Moisei von den Horthysten erschossen worden sind. Zwölf Eissteinbetten, Särge und Menschen zugleich. Geometrisch, verzerrt sind Augen, und Wangen, und Münder im Schrei, in den Stein gemeißelt. In der Luft über der Tannenallee darf sich der Tod ausschweigen. Unten sind die Steine den Touristen überlassen. Frauen- und Männernamen, Herze und Pfeile sind auf die Steine geschmiert. Und der dringende Wunsch eines Zufallbesuchers: »Ich will dich ficken.«

Vielleicht bricht das Gras in der Sonne. Das Wasser der Wischau rauscht immer denselben Ton. Frauen sitzen am Fluß und waschen die Wäsche. Sie schäumt weiß wie die Rüschen der Blusen um ihre Hände. Die Hängebrücke wiegt sich. Ich hab ein Gewicht. Ich halte mich fest am dünnen Geländer. Ich sehe die roten Beeren am Ufer und spüre mich nicht. Durch das weißblühende Kartoffelfeld geht ein Kind mit einem Kasettenrecorder. Rumänische Volksmusik klagt über den giftgrünen Blättern. Das Kind schaut mir nach, bleibt nicht stehn, geht im Rhythmus des Liedes. Das Kartoffelkraut verdeckt den Kasettenrecorder. Ich seh das gehende Kind mit geschlossenem Mund und hör aus dem Kraut das klagende Lied, als würden die Schritte des Kindes singen. Das Kind geht tief in die Wiesen hinein. Das Lied hängt im Gras. Das Kind hat der Hügel verschluckt.

Eine Eidechse sitzt mitten im Pfad. Sie hört mich und schlängelt so rasch, als ließe sie ihre Haut vor mich falln. Sie kriecht in den Riß, in die Erde. Erdbrocken rutschen ihr nach. Was such ich hier, mein Fuß ist schwer. Ich bin der Tod für sie. Die Sonne brennt, ich bin kein Grashalm, bin kein Strauch. Ein Stein bin ich, ein gehender. Ein Unfall in den Gräsern. Ich bin mir zum Erdrücken schwer. Die wilden Margareten blühn, ich bin mein Überdruß. Was such ich auf der Wiese.

Was such ich auf der Wiese aus Holz in Săpînţa, die »Der heitere Friedhof« heißt. Die Gräber ziehn vorbei, ich stehe still. Flach sind die Hügel der Gräber. Blumenbewachsen und klein, als wären die Toten geschrumpft, vor der Starre im Sarg nochmal im Wasser der Erinnerung zurückgetrieben worden, in die Zeit, wenn man gehen und sprechen lernt. Ins Eissteinbett für ein Kind.

Die Holzkreuze sind stechend blau, die eingeritzten Muster grell bemalt mit Holzblumen und tiefgerandeten, giftgrünen Blättchen. Die Gleichheit dieser Kreuze, ihrer Größe, ihrer Farbe, ihrer Form ist ungewohnt für Sterbende im Bett, für eigne, abgebrochne Lebensjahre. Soldatenfriedhöfe sind so mit ihrem kollektiven Tod, weit von zuhaus, in vielen gleichen Uniformen. »Der heitere Friedhof« wird den Besuchern als Kunstwerk des Ion Stan Patraş aus Săpînţa mit Eintrittsgeld verkauft. Er sei von ihm 1935 »gegründet« worden, steht auf dem Tor am Eingang und auf den Ansichtskarten, auf denen man die Kirche nicht sieht. »Gegründet«, als sei in den Jahren davor niemand gestorben, als wär in diesem Dorf der Tod der Beschluß eines wahnwitzigen Künstlers, der sich 1980 in sein Kunstwerk miteinbezogen hat, denn 1980 ist Ion Stan Patraş gestorben. Er ist vor dem Kircheneingang, in der Friedhofsmitte unter dem größten, selbstgeschnitzten Kreuz begraben. Er hat sein Selbstporträt aufs Kreuz gemeißelt. Seine Augenbrauen sind zu dicht und schwarz, zu dick ist sein Hals auf diesem Bild. Hat seine Hand gezittert, als er die hölzernen und flachen Wangen mit der Farbe bleicher Haut bestrichen hat. Wie auf allen Kreuzen steht auch auf seinem der volkstümliche Spruch über den Lebenswandel des Toten: Es haben ihn viele »Staatsführer« vieler Länder besucht und alle seien willkommen gewesen.

Die Kirche ist zugesperrt, Gott ist eingeschlossen. Über den Gräbern fächelt der Wind. Der Tod hält es auf diesem Friedhof mit dem Stabreim: Tod und Teufel. »Ich bin stärker als du/ Christ schau mir nur zu./ Denn ich bin der häßliche Tod/ Der Reihe nach trag ich alles fort«, steht auf dem großen Holzkreuz vor dem Friedhofszaun. Darüber ist der lachende, pechschwarze Mann, Tod und Teufel gemalt. Er hat zwei silberne Hörner, silberne Rippen und eine silberne Sense.

Sensen zischeln durchs Gras. Die wilden Margareten fallen um, die braunen Rispen legen sich übereinander. Es riecht nach Heu. Frauen und Männer stehn barfuß in den schwarzen Gummistiefeln hinter diesen Sensen. Waldarbeiter gehn mit der Axt, allein, quer in die Hügel, in das Holz der Wälder. Traktoren wirbeln Staub über zerfurchte Wege. In den Höfen hängen violette, grüne, rote Wollstränge wie Perücken zum Trocknen in der Sonne. Die Frauen färben die Schafwolle mit Kräutern, mit Blumen und Blättern. Ihre Hände haben die Farbe der Pflanzen, weben und welken wie die farbenüberwachsenen Hügel.

Die Webstühle sind aus Holz. Sie stehen in den Hinterhöfen. Die weißen, langhaarigen Wolldecken sind Schnee auf den Zäunen, sind schwer und stumm, wie die Einsamkeit der Hände, der Wolle, des Holzes. Ich könnte sie kaufen, diese Einsamkeit. Ich könnte eine weiße Decke in mein Zimmer legen, barfuß durch die Wolle gehn. Zudecken könnte ich mich, und die Augen schließen wie Schlaf. Unendlich lang könnt ich liegen, im Eissteinbett, so lange, bis ich nichts mehr von mir weiß.

Wie oft sind die Männer auf den Wiesen und im Wald, die Frauen im Kartoffelkraut und an den Webstühlen, die Kinder unter Obstbäumen und auf den Hängebrücken allein. Einzeln und deutlich üben sie jede Bewegung, die der Körper tragen kann. Und wenn das Blut dann plötzlich stehenbleibt, erreicht der Tod sie ahnungslos in einem dieser Griffe, Schritte, Blicke, die man Arbeit nennt. Wie oft proben sie den Tod, bis er eintritt, bis er Unfall heißt.

Die kurze Lebenszeit der Toten ist in den Sprüchen und auf den Porträts der Kreuze erklärt. Im Alter von nur 20 bis zu 50 Jahren sind die meisten auf dem »heiteren Friedhof« gestorben an Arbeitsunfällen im Wald oder auf dem Traktor, an Verkehrsunfällen mit dem Zug oder mit dem Auto, an Alkoholismus. Hinzu kommen die Krankheiten der jungen Frauen und die Kindersterblichkeit. Auf den Dächern stehn die kleinen, hölzernen Kreuze, vor den Häusern stehn die großen, blauen Kreuze. Jesus hat das schiefe, traurige Gesicht der Ikonen, ist machtlos und läßt in dieser Gegend trotz der starken Religiosität mit dem Leben alles geschehn.

Das Dorf zwischen zwei kleinen Städten heißt Totendorf. Lehmhütten ohne Zäune, daß die Türschwellen schon Straße sind. Zigeunerinnen in langen Blumenröcken sitzen im Gras. Hier wird im Freien gekocht und gegessen, geraucht, geweint und gelacht. Pferde weiden und nackte Kinder laufen um das Haus. Hier ist das Ghetto der Zigeuner. Totendorf ist, wie alle Dörfer hier, ein Straßensaum aus Holzhäusern.

Ich seh den betrunkenen Mann zwischen dem Fluß und den Schienen liegen. Er wälzt sich im Gras und wird hier übernachten. Es ist Abend, die Wolken sind rot. Libellen fliegen flußabwärts. Sie sind schwarz, sie bringen Dunkelheit. Vielleicht verbringen sie alle im selben Baum die Nacht. Die roten Wolken streuen sich ins Wasser. Die Hängebrücke quietscht, weil niemand auf ihr geht. Ich hör den Pfiff, ich hör die Räder schrein. Es kommt ein Abendzug. Ein Wagen, zwei, und noch ein dritter rauscht im Weidenbaum. Der Zug ist kurz. Wenn der Betrunkene jetzt schlafend auf den Schienen liegt, reicht jedes Rad für seinen Tod.

Die Luft ist dick und heiß, das Zimmerfenster offen. Im Hof der Schutzhütte »Schwarze Gemse« singen, an die Holzwand des Schweinekobens gelehnt, die letzten Betrunkenen. Die Schweine wühlen Erde auf. Ich höre sie Steine zerbeißen und knatschen. Mitten im Hof auf dem kahlen Beton sitzt ein Mann auf einem Stuhl. Er hält ein Mädchen mit weißschäumender Bluse auf den Schenkeln. Er greift ihr unter den Rock. Sie kichert. Jetzt sitzt sie auf dem Stuhl und schweigt. Er stöhnt wie beim Mähen, wenn der Hügel steil ist und das Gras zu hoch. Der Mond dreht sich. Es sitzt eine schwarze Libelle im Mond, schaut mit dem leblosen Blick, schnürt ihre glasigen Flügel ein. Hält sich am Leben. Frißt Sterne und Laub. Dieser Mann und diese Frau haben, wenn es Tag wird und sie nichts mehr voneinander spüren, im Suff ein Kind gezeugt, das, immer, wenn es schlafen will, im Mond die schwarze, steinerne Libelle spürt.

Es ist Feiertag: Heiliger Ilie. Leute schaukeln auf der Hängebrücke, gehn über den Pfad. Klein und unmündig tragen sie Honig, und Mehl, und Brot durch die Wiesen ins Kloster. Die Mönche singen die Ikonen in den Schlaf und segnen mit grauem Rauch den Honig, das Mehl, das Brot, und das Haar der knieenden Frauen.

Ich seh den kleinzerhackten Dill im Käse kleben. Der Teig ist in Öl gebacken. Das Öl klebt, der Kuchen ist kalt. Ich beiß. Ich schluck und weiß, daß hinter der Wand der Pattiserie an einem Haus die schwarze Fahne und hinterm Zaun, im Hof das weiße Sargtuch flattert. Hinterm Pult steht ein alter Mann. Ich hab ihm Geld in die Hand gedrückt. Er schaut, wie ich esse. An meinem Kehlkopf drückt sein Blick. Es wird eine Eidechse kommen, ich schmeck sie im Teig. Sie wird sich auf seine Wange setzen, auf sein zerfallenes Gesicht wie kranke Haut. An der Wand hängt ein Schild: »Wir bedienen nicht ohne Geld/ Nicht den anständigsten Menschen der Welt/ Denn gibt man ihm so freut er sich/ Verlangt man ihm weiß er von nichts.«

Fünfzig Jahre alt ist diese Frau geworden, die jetzt hinter der Wand, im Hof unterm Sargtuch liegt. Ihre Hände sind gefaltet. Bald werden sie zu den Eidechsen unter den Hügel getragen. Das Gras wird fressen, satt und weiß wird sich die wilde Margarete drehn. Vor dem Sarg stehn drei Töchter. Sie schreien die Totenklage in Reimen: »Mutter mein, bitte nicht geh/ Denn mir tut das Herz so weh.« Sie weinen so oft und so laut, wie die Zeremonie es abverlangt, lassen Kopfschütteln, und Haareraufen, und Händeringen durch den Körper gehn, bis der Stand der Feier die Stille braucht. Plötzlich hören sie mit der Klage auf, brechen den Schmerz ab, als ziehe sich in ihren Augen das dunkle Wasser zurück. Frauen und Männer sitzen auf langen Bänken um den Sarg, im Viereck. Wie bei den Volksfesten. Choreographie der Zuschauer. Sie erzählen vom Mähen im Gras, vom Fällen im Wald. Zwischen den Bänken werden Wassereimer die zugedeckten Knie entlang getragen. Das weiße Töpfchen wird von Hand zu Hand gereicht. Mit feuchten Augen und spitzem Mund trinkt jeder aus demselben Töpfchen dasselbe Maß. Sechs

Eimer Wasser, acht Eimer, zehn. Ich zähle und verzähle mich, verliere die Zahl auf der Zunge. Ich weiß, sie trinken alle Eimer leer. Einen Brunnen Wasser werden sie trinken. Einen Brunnen Wasser werden sie, damit das Gehen schwer und traurig ist, im Leichenzug hinter der Toten durch die Straßen tragen.

Die Sargträger haben weiße Handtücher an ihren Rökken hängen. Ein Kind geht vor dem Sarg. Es trägt das Holzkreuz. Vor seinem Gesicht schaukelt der Kranzkuchen. Geflochten, wie ein Kranz aus Teig, hängt er am Kreuz, vor den Augen des Kindes, an einem schwarzen Band.

Essen und trinken. Und Tod. An den Bäumen flattert Laub. Ich spür durch den Rand der Zähne den undurchschaubaren Magnet des Todes in meinem Atem und überall, in jedem Körper stehn. Der Sarg ist offen. Der Nasenrücken höher als die Hände unterm Schleiertuch. Da schwebt das Eissteinbett auf den Schultern. Flach liegt der Körper. Nur die Schuhspitzen der Toten stehn senkrecht. Im Hof, wo vom Sarg das Gras zerbrochen ist, werden Tische gedeckt. Weiße Bettlaken sind Tischtücher auf langem, rohem Holz. Große Schüsseln mit Brot und Fleisch, Flaschen mit Schnaps und Bier warten auf den Leichenschmaus nach dem Begräbnis.

Wie werden sie sich nocheinmal die Bäuche füllen. Wenn die Libelle in den Mond fliegt, werden ihre Augen glänzen vor Betrunkenheit, als wärs das Grundwasser, das dunkle aus den Gräbern. Während sie greifen nach dem Essen und nach dem Getränk, bricht zwischen ihre Hände das Bodenlose, die Neige ihres Lebens ein. Der Mond ist grell, das Gras ist schwarz. Ein paar Nächte werden noch vergehn. Der Mond wird wachsen. Oder er wird falln. Bald nimmt sich der Magnet des Todes wieder einen von den vielen, die hier sitzen. Ich seh die weißen Bettlaken von einem Haus ins andre ziehn.

Ich seh die weißen Bettlaken in die Kleider der Bräute

ziehn. Schneeland ist um ihre Beine, Wasserschaum, vom Sargtuchende abgetrieben, ist der Schleier überm Haar. Wie viele Fotoläden sind in den Städten. Fremde Brautpaare in Vorkriegsschaufenstern, in fingerbreitem Abstand hinters Glas gestellt. Brautschuhe im Gras, ein Baum hängt seinen tiefsten Ast ins Bild. So ist von unten und von oben schon das Weiße eingefangen. Schattig deckt der schwarze Anzug jedes Bräutigams, in der Umarmung, das Brautweiß zu, das ihm gehört. Das weiße Eissteinbett mit seinem schwarzen Kissen steht im Gras. Und an die Lehne fällt der Himmel dran. Wie alt ist diese Ehe unterm Tannenbaum. Wie oft ist dieser junge Mann seither hinunter in den Schacht gefahren, in die Grube außerhalb der Stadt. Und wieviel Stein hat seine Lunge schon geatmet. Und diese Frau, wie hat sie jeden Abend mit einem Bimsstein ihre Hände abgerieben, weil das Maschinenöl sich in die Poren frißt. Und da ist sie am Zahltag mit der Lohntüte vorbeigegangen, an dem Schaufenster der Schusterei. Die fleischroten Truthahnsandalen sind ihr durch den Kopf gegangen, einen Schritt lang hat die steile Schuhspitze sie wie ein Wunsch gedrückt. Aber beim nächsten Schritt, wußte sie schon wieder, daß es Herbst wird, daß der Mann die neue Unterwäsche, daß das Kind den Wintermantel braucht.

Vierzigmal seh ich im Schaufenster der Apotheke die rosa Sommerblusen auf dem Absolventenfoto. Vierzig Krankenschwestern neigen ihre Lockenköpfe. Sie lächeln in die Stadt. Ihre Hände sieht man nicht. Die lange Impfnadel steht senkrecht auf dem Foto. Dunkelblau, in Öl gemalt, ist sie ein Splitter von der Holzwiese des »Heiteren Friedhofs«. Unter der Nadel steht: »Auf Wiedersehen 1995.« Zehnjahrestreffen im Zeichen einer Impfnadel, am langen Tisch der abgeblühten Krankenschwestern. Ihr Haar wird schütter sein, die Finger dick. Wenn sie lachen, wird am Augenwinkel, rosa zugeschminkt, die erste Falte stehn, die spitz wie eine Nadel hin zur Schläfe reicht. Zehn Jahre, aus weißen Bettlaken. Und man wird sehn, wenn sie den Tango tanzen, wie eine weiße Schleppe hinterm steilen Schuh sich aufrollt. Und wie das Weiße dick mit Blut besudelt ist. Wie kranke Männer, kranke Frauen mit der Todesangst im Blick Bestechungsgelder reichen, um nicht so früh zu sterben.

Die Sonne ist zu rot und der Asphalt ist weich. Wohnblocks ohne Schatten. Frauen gehn. Hinter ihnen bleiben die Male steiler Schuhe im Asphalt. Braune Beine. Und die Waden brennen. Wo soll ich hinschaun, wenn der Truthahn mit dem leblosen Gefieder keinen Platz im Himmel hat.

Ein Mann mit nacktem Oberkörper steigt aus einem Laster, ein Schofför. Er geht ein Stück zu Fuß. Auf seine Brust ist ein dunkelblauer Dolch tätowiert. Unter der Dolchspitze zwei Tropfen Blut. Mit dem Selbstmord auf der Haut geht er unter Bäumen. Ich seh ihn über Serpentinen fahren, allein, von Kilometerstein zu Kilometerstein mit einem Dolch. Wird er den Unfall proben auf den langen Wegen. Der Dolch ist naß. Er schwitzt. Er atmet. Schwarzer Haarflaum wächst um seinen Griff. Der Dolch ist wie die Impfnadel so blau, so wie die Heidelbeeren, die nicht wissen, wo ihr bitterer Geschmack gewachsen ist. Wie der »Heitere Friedhof« ist der Dolch.

Hortensien blühn sich grau im Straßenstaub. Kein Duft, und blasses Violett, und schon erstickt. Schattensüchtig. Nur Geraschel. Sommerkurz, jetzt bald zuende. Über den Stadtrand, über die Hügelspitze, fahren schwarze Loren. Schwarze Kinderwagen, dicht hintereinander. Voll mit schwarzen Kissen. Die Hügelspitze ist am Himmel eine Schneide. Die Loren nehmen meine Augen mit. Unterm Hügel ist ein Gang aus Kohle und ein Gang aus Salz. Ein ausgehöhlter Stein ist unterm Hügel. Ein Eissteinbett.

Schwarz wie die Loren, dicht hintereinander hängen die

Teppiche an den Wänden der Kirchen. Die Geschenke der Toten. Sie werden auf den Särgen zur Kirche gebracht. Weihrauchwolken, traurige Ikonen, machen das Beten zum Leiden. Zehn Meter lang ist der schwarze Teppich mit zyklamroten Rosen und grünen Blättern, der auf dem Geländer der Empore hängt. Zehn Meter Trauer, mit der Hand gewebt, von einer alten Frau. Ich seh die Hügel von innen, den Weg der Eidechsen, die Bahn der Loren auf dem Teppich. Die Blumen sind zu groß, wie gequollen. Die Blätter sind zu rund, wie aufgebläht. Hastig sind die Blumen, die Blätter. Schneeschwere Winter, glutirre Sommer, sie treiben. Die alte Frau hat rasch geatmet. Sie hat gespürt, daß der Tod unter die Nagelränder kommt. An den Fingern frißt.

Denkmäler, Friedhöfe, Kirchen. Zweimal war Himmler persönlich in Oberwischau, hat das Judenghetto besucht und die Todeslisten überprüft. Unfälle, Krankheiten. Die Wiesen wiegen sich. »Der heitere Friedhof« in Săpînţa ist ein zynischer Friedhof. Ich spür die Zeit. Sie ist kein Jahr. Ist Holz, und Wiese, und Schacht. Was sucht die Libelle im Mond, die Eidechse in der Wange, der Truthahn im Regen.

Meint das Wort »Frieden«, das auf den Torbalken des Parteikommitees von Moisei gemeißelt ist, den Frieden der Kirche: »Der Friede sei mit euch.« Oder meint es den Frieden, durch Hammer und Sichel. Losungen im Hof und an den Wänden, Kirchtürmchen auf dem Dach. Die Uhr an der Turmspitze leuchtet metallen. Die Treppen sind weiß, die Türen geschlossen. Die Fenster sind blank und leer. Prunkvoll ist der Schlaf der Steine. Der Fluß schweigt, quält seinen öligen Wasserfaden über rötliches Gestein. Hat keinen Blick, kein Spiegelbild für den Palast der Funktionäre.

Die Felder fahren mit dem Zug. Mais, der mit den schmalen, schon geknickten Blättern schlägt. Tabakfelder, samtig grün mit rosa Trichterblüten. Hanf, der schwer, mit seinem eigenen Gewicht ins Schwarze fällt. Sonnenblumenfelder. Wo schaun sie hin in dieser Ebene, kurz nach der Abfahrt. Alle Blüten drehen ihre Köpfe in dieselbe Richtung, der Sonne nach. Als wär unter der Erde, feldweit, ein Magnet. Oder am Himmel oben, groß wie eine Landschaft, ein Diktator.

In meinem Abteil sitzt ein sommerlicher Funktionär im hellen Anzug. Neben ihm sitzt seine dicke, schlechtgelaunte Frau und seine zwanzigjährige, vom jahrelang ergebnislosen Flirten überdrehte Tochter. Mit müdem Schmollgesicht schaut sie auf den Korridor hinaus und saugt, zwischen den kunstvoll von den Lippen weggekrümmten Fingern, an der langen, ausländischen Zigarette. Die Funktionärsfrau trinkt mit spitzem Mund Wasser aus der Flasche. Sie schluckt unauffällig, fängt mit dem Fingernagel einen Tropfen auf. Jetzt gurrt ihr Darm.

Hinter den Sonnenblumen, zwischen dem irdischen Magnet und dem Sonnenblumenvolk-Diktator, liegt ein Kurbad. Der sommerliche Funktionär ist ausgestiegen, ist in den hellen Hosen mit den beiden steilbeschuhten Frauen über den Schotterweg getrippelt. Lange hat er dem Zug nachgeschaut, als wüßte er, wie unbedeutend seine Stellung ist, wie mächtig der Magnet des Todes in der Erde, wie nah der Zeigefinger des Diktators über seinem Kopf. Schon ruft die Frau, zeigt ihm den größten Koffer. Kurz vor dem Aussteigen hat sein Gesicht im Abteil unbewußt den starren Schatten nachgebildet, den langen, steilen Weg des Aufstiegs in die Hierarchie. Nicht die hohe Stellung, nur das Mahlen der Backenknochen zwischen kurzen Sätzen, hat er von seinen Vorgesetzten übernommen. Im Kleinstadtpark, in dem die Bänke dicht nebeneinander stehn, wird er die öffentliche Meinung hören, sich an die Vorlesung im Abendkurs erinnern, aus der er weiß, daß das Bewußtsein der gesellschaftlichen Entwicklung nachhinkt. Täglich wird er Zeitung lesen, um den roten Faden des

Berufs nicht zu verlieren. Seiner Tochter wird er, zwischen den Zeilen, verbieten, in den Wald zu gehn. Abends wird die Frau ihm sagen, daß die Sonnenblumenfelder bis ins Zimmer riechen. Er wird schweigen. Hinterm Vorhang wird er eine kleine Wolke und den nahen Zeigefinger des Diktators sehn.

Die Lehrerin hat von einer Zigeunerin, die von einem Abteil zum anderen geht, die elektronische Armbanduhren, jugoslawischen Kaugummi und Pfefferminzbonbons in den Händen hält, einen ausländischen Kugelschreiber gekauft. Sie hält ihn nach oben und zeigt den Schülern die Frau, die im schwarzen Kleid darin steht. Sie dreht ihn nach unten. Das Kleid rinnt herunter, die Frau wird nackt. Die Lehrerin lacht, dreht den Kugelschreiber. »Genossin«, fragt ein Schüler, »wohin verschwindet das schwarze Kleid.«

Mädchen und Jungen gehn in Gruppen durch die Stadt. Die Kirchturmuhr des Parteikommitees mißt den Mittag. Sie schlägt nicht. Die Mädchen und Jungen tragen westliche Kleider: Jeans mit Nieten, Reißverschlüssen, Schnallen und T-Shirts bedruckt mit »Coca Cola«, »Elvis«, »Manhattan«, »Kiss me«. In dieser sandgrauen Stadt zwischen Schaufenstern, in denen jahrealte Fischkonserven, graue Nudelpackungen und verstaubte Marmeladegläser stehn. Die Reisepässe sind rar. Die Landesgrenze ein Stacheldrahtgelände, von Soldaten und Hunden bewacht. Jeder, der durch diesen Mittag geht, hat gehört von Fluchtversuchen, von Gleichaltrigen, die erschossen, von Hunden zerrissen, totgeprügelt worden sind. Keine Friedhöfe, keine Denkmäler gibt es für sie. Da muß ich, wie der Schüler im Zugabteil gefragt hat nach dem schwarzen Kleid, mich selber fragen: wohin verschwinden die Körper, die die Flucht versuchen.

Da schwimmt der tote Truthahn in den sommerlichen Kleidern. Der schwarze Hauch der Heidelbeeren legt sich auf die Haut. Hinter den Gesichtern wächst die langsame Metamorphose: das Altern zwischen Beruf und Freizeit, eingesperrt, in dieses Land. Da ist Manhattan wie der tätowierte Dolch ein Fluchtversuch, ein Todvermessen auf der Haut. Da ist das weiße T-Shirt, auf dem »Kiss me« steht, ein Eissteinbett.

Antennenwälder auf den Wohnblocks. Sie fingern. Der Abend dämmert. Das Licht wird grau. Einen Blutfleck hat die Sonne. Da schmelzen die Dächer der Neubauviertel zusammen, zu einem randlosen toten Platz. Der Platz ist vollgestellt mit schwarzen Notenständern. Die Wände der Wohnblocks sind wie die Nacht. Die Fenster hängen im blauen Fernsehlicht. Um 22 Uhr geht das Vaterland schlafen: die Lokale haben Sperrstunde. Das rumänische Fernsehprogramm hat Sendeschluß. Die Fenster flimmern bis Mitternacht. Mit diesen Antennen empfängt man in dieser Gegend die ungarischen und sowjetischen Fernsehprogramme.

Der Bahnhof ist ein Sackbahnhof. Die Schienen hören vor der sowjetischen Grenze auf. Ein Mann liegt auf dem Rasen neben der Rosenhecke. Sein Hut ist unters Gras gedrückt von seinem Hinterkopf. Auf seinem Bauch liegt ein Kassettenrecorder und spielt ein Klagelied. Im Park sitzt ein alter Mann. Er hat die Schnapsflasche in der Hand, trinkt und schaut auf seine Schuhe. Neben ihm auf der Bank steht ein Kassettenrecorder. Er singt, daß der Mensch vor Kummer sein letztes Geld vertrinkt. Im Zugabteil sitzen zwei Jungen. Essen grüne Äpfel und schauen zum Fenster hinaus. Die Hügel fliegen. Große gelbe Blumen rinnen aus von der Geschwindigkeit. Neben den Jungen singt der Kassettenrecorder die Klage des armen Mannes, der das reiche Mädchen nicht lieben darf. Auf den Gehsteigen der Städte schwimmt Musik. Kassettenrecorder sind eine Art Handtasche für Männer in dieser Gegend. Zwischen den Städten, den Waldsaum entlang gehn zwei Männer in kurzen Hosen. Ihre

Rucksäcke sind höher als ihre Köpfe. Ihre Schritte sind gleichmäßig. Ledern und hoch zugeschnürt sind ihre Schuhe. Sie gehn an den Blechtafeln vorbei: »Wer in Zukunft Wald haben wird, wird Gold haben,« steht auf der einen. Und auf der anderen, hinter der Biegung: »Fälle keinen Baum, bevor du nicht sieben andere gepflanzt hast.« Zwischen den beiden Männern, an den einander zugewandten Händen, hängt ein Tonbandgerät.

Auf der Bühne des Restaurants stehen zwei Gitarristen mit Künstlerbärten. Der Trommler schwitzt. Die beiden Sängerinnen singen englisch. In ihren Trägerkleidern und hochhackigen, weißen Sandalen tänzeln sie im Takt. Die Ältere ist hochschwanger, wiegt selbstbewußt den Bauch in das Lied. Singend wächst wieder ein Ahnungsloses, ein Kind, dem Gesetz entgegen, das die Volksvermehrung planmäßig vorschreibt. Jede Frau vier Geburten.

Der Mittag dreht sich in den Wolken oben. Hinter dem neuen Boulevard liegt der Bauschutt der Vorstadt. Häuserwände, große zerbrochene Nußbäume im Staub. Ein Rudel halbnackter Kinder läuft barfuß über die Steinbrocken. Die Kinder spielen Krieg. Schreien wie verstörtes, von zuhause zu weit weggelaufenes Geflügel. Laufen quer über die Straße zum Autohof.

Überall Bauern, Männer in Leibchen, Frauen mit blumenübersäten Kaschmirröcken. In den Sommergärten der Restaurants stehen ihre gestreiften, handgewebten Umhängesäcke auf dem Boden. Sind vollgestopft mit Broten. Die Frauen blasen den Bierschaum von den Gläsern. Er fliegt wie die Spitzenrüschen der weißen Blusen. Sie trinken die Gläser in einem Zug leer.

In den Autos sitzen Bäuerinnen am Lenkrad. Im Auto zusammengedrängt sitzen fünf oder sieben Gesichter, Männer und Kinder. In den Autohöfen stehn Wartende. Berge von gestreiften Umhängesäcken mit Broten. Kinder stehen, und sitzen, und liegen zwischen dem Gepäck. Weinen, schlafen, essen gelbe, tropfende Birnen, auf denen Fliegen summen.

Am Bahnhof von Unterwischau wird über die Lautsprecheranlage des Bahnvorstehers verkündet, daß Brot gekommen ist. Im Lebensmittelladen hinterm Bahnhof helfen Bauern beim Abladen. Die Brote werden wie Ziegelsteine auf den Baustellen von Hand zu Hand in den Laden gereicht. Die Bahnhofsangestellten laufen um Brot. Die Schienenarbeiter fahren mit den Fahrrädern von den weitgelegenen Abstellgleisen in den Laden.

Die Fleischläden sind leer. In den Gemüseläden stinken Zwiebeln und welke Kürbisse. Viele Kinder haben noch nie Schokolade gesehn. Ich seh die großen, hastigen Schritte der Brotkäufer. Die Brote sind flach und rissig wie ihre Gesichter. Ich hör die Schritte und hör das große Schweigen der Nation in diesen Broten.

Männer, und Frauen, und Kinder sitzen um die Tische. Sie essen Brot, und Brot, und Brot. Um arbeiten zu können im Wald und im Schacht, essen die Männer Brot. Um Wäsche in den Fluß zu tauchen oder am Fließband zu stehn, essen die Frauen Brot. Um auf der Hängebrücke zu schaukeln oder über den Bauschutt zu laufen, essen die Kinder Brot. Um zu wachsen, um groß zu werden und zu arbeiten. Und um später einmal Brot zu essen, essen die Kinder Brot.

Und wenn sie dreimal Brot gegessen haben, ist ein Tag vorbei. Es ist Sommer. Es wird Winter sein. Das kleingehackte Brennholz wartet gestapelt in den Wohnblockvierteln, auf den Balkons. Im Parterre sind leere Zimmer. Es ist Abend. Da über die Hintertreppe gehn Hühner und Schafe in die Wohnblocks schlafen. Sie haben Gras gefressen. Ich seh das dunkle Gefieder des Truthahns im Gestrüpp. Wenn ihr Fleisch gewachsen ist unter den Federn, unter der Wolle, ist der Hunger ein Messer mit fleischroter Schneide.

Nur die betrunkene Frau kauft kein Brot. Sie tanzt mit der Flasche zwischen den Schienen. Die Flasche dreht sich mit ihr. Der Schnaps ist klar und hat einen brennenden Punkt. Die Sonne hängt schief auf dem Hügel. Die alte Frau vertanzt ihren Rausch. Ihre Beine sind dünn, ihre Schuhe zerrissen. Jetzt fliegt ihr Haar. Bald fliegt der Hals ihr davon. Bald fällt ihr die Schläfe aufs Herz. Bald rinnt ihr die Haut unters Gras, in den Hügel.

Ich reiß mich los von dieser Gegend. Ich werd mir ohne Sinn. Ich fahr »nachhaus«. Wie fadenscheinig ist das Wort. Ist nichts als eine andre Selbstverständlichkeit. Meine eigene, die mir so oft zerbricht.

Diese Gegend hat mich nicht gespürt. Sie hat mir weh getan. Doch überall, wo man den Tod gesehen hat, ist man ein bißchen wie zuhaus.

dr. T.

Bleiben zum Gehn

für Richard

Wo ist dieser Ort. Über den Morgen hinaus ist der Tag mir so wenig wie nie.

Wo red ich, mit wem, außer mit meinem, mit deinem, dem pechschwarzen Mund.

Ich trag dieses Jahr noch zuende, den Ast und das Blatt. Und ich frag: wie alt ist dieser Baum, dieser Herbst halb im Leben.

Ich trag noch das Wasser im Blick, noch das Bleiben zum Gehn.

Hier stehen wir, Liebster, am nächsten, am weitesten Baum und im Herbst. Und wir wissen: ich hab noch ein Wort, noch ein kleines, ein zerrendes Sagen in mir. Ich hab noch zu reden fürs Wasser im Blick.

Damit ich den Blick noch heben kann, hab ich zu sagen, wer uns die Lippen so schwer, wer uns das Wort so klein macht und wenig wie nie.

Damit ich die Lippen noch tragen kann, hab ich zu zeigen den meinen, den deinen, den pechschwarzen Mund. Den Maulwurf mit bleichen Schaufeln.

Mein Schlagabtausch, mein
Minderheitendeutsch

Fliegende Birken durch den Zug. Wie viel trauen mir die weißen Stämme zu. Wieviel. Wie wenig. Bleibt der Schimmer noch gewahrt.

Wie lange noch, der Schein.

Cafeteria und Asphalt. Und Haarsalons und schimmernackte Bäume. Wer schneidet. Die Fingernägel fallen aus der Schere in die Küche. Das Wimpernhaar ist eines von uns beiden. Erkennen kann ichs nicht an seinem Aug. Es liegt im Waschbecken. Erschrickt am Wasser.

Abendwind am Morgen in den Stiegengängen. Verlassenes Papier und rauh. Mir raschelt schon der Knoten in der Kehle. Soll der Tag sich in die Räder traun, so nackt die Stadt betreten. Mit den Birken im Genick über dem S-Bahnsteig sind seine Rippen zweifach.

Angekommen wie nicht da. Am Sand wie an den Ufern. Und langsamer als irgendwo fehlt mir die Einsicht. Mein Sprachzug und mein Minderheitendeutsch. Die Wolke hat den grauen Mantel an. Wie schmal die Kante ist, der Schienenstrang von einer Schläfe zu der andern. Wie hohlwangig du in mir schlägst. Und wenn ich reden will, legst du dich tot auf meine Zunge. Und wenn ich schweigen will, dann tust du so, als gäbe der Asphalt sich her für schießende, waldgrüne Maisfelder im Kopf.

Mein Minderheitendeutsch, jetzt wirst du angeknüpft. Jetzt wird der Faden dir zum Strick. Ich werd dich los, jetzt bleibst du mir erhalten.

Mein Schlagabtausch. Mein Ausländergewissen.

Yorkstraße und liegt über den Höfen, wo sich die stillen Pflanzen für die Trauer paaren. Und Priesterweg, wo sich der Sog verdünnt. Marie als alte Frauenstimme in den Orten.

Haben die Schattenflecken nie gewachsner Blätter sich in mich gestohlen. Hinter den Blattrücken müßte die Sonne stehn.

Wie sich die Birken teilen, wenn die Schiene fliegt. Wie viel trauen sie mir zu die weißen Stämme. Wieviel. Wie wenig.

Herta Müller, ist 1953 in Nitzkydorf (Kreis Timis) in Rumänien geboren. Deutsch ist ihre Muttersprache. Sie studierte 1973-1976 Germanistik und Rumänistik an der Universität der Stadt Temeswar. Seit Februar 1987 lebt sie in der BRD. Für den Erzählungsband *Niederungen* wurde sie 1984 mit dem ASPEKTE-Literaturpreis ausgezeichnet. Der Roman *Der Mensch ist ein großer Fasan auf der Welt* erschien 1986, die Erzählung *Reisende auf einem Bein* 1989. *Der Teufel sitzt im Spiegel* folgte 1991.

Herta Müller beim Rotbuch Verlag

NIEDERUNGEN

»Was Herta Müller aus der rumäniendeutschen Literatur heraushebt und in die Reihe der besten deutschsprachigen Autorinnen versetzt, ist nicht allein ihre Fähigkeit, das grauenvolle Landleben der Banatschwaben zu erfassen. Es ist nicht allein die erstaunliche Sprachkraft – dichtes jargonfreies, »reines« Deutsch kommt uns da entgegen, das in ihrer Autorengeneration fast einmalig ist. Entscheidend ist die poetische Qualität der Herta Müller: Sie zerlegt die kindlichen Empfindungen, trägt sie Schicht für Schicht ab, balanciert auf der Grenze zwischen sezierenden Beobachtungen und den Ängsten vor dem, was da zutage tritt.« Friedrich Christian Delius im Spiegel.

DER MENSCH IST EIN GROSSER FASAN AUF DER WELT

»Das Buch ist die Ballade der Auswanderung. Die Nähe zerbröckelt, aus Freunden werden mißtrauische Feinde. Es geht nicht mit rechten Dingen zu, sondern alles auf krummen Wegen. Was hier, von der Oberfläche der Zeit in mythische Tiefen reichend, mitgeteilt wird, ist ein in seiner dichterischen Knappheit großer Beitrag zum Jahrhundertthema der Emigration.« Kyra Stromberg in der Saarbrücker Zeitung.

REISENDE AUF EINEM BEIN

»Hier geht es um Irene, die aus dem ›anderen Land‹, wie es genannt wird, dem Land des Diktators, in den Westen ging... Herta Müller ist eine Erzählung gelungen, in der auch der Leser buchstäblich heimatlos und unbehütet bleibt. Ihre Sprache ist hart, sie beschreibt. Nur dort, wo die Dinge selber kalt werden, erlaubt sich Herta Müller jene glanzvolle poetische Sprache, die hier keine Ausflucht ist.« Frank Schirrmacher in der Frankfurter Allgemeinen Zeitung.

Rotbuch Taschenbuch

Thomas Brasch
Vor den Vätern sterben die Söhne
Rotbuch Taschenbuch 15
112 Seiten, DM 10

Heiner Müller
»Zur Lage der Nation«
Rotbuch Taschenbuch 13
96 Seiten, DM 12

Dario Fo
Bezahlt wird nicht
Rotbuch Taschenbuch 18
96 Seiten, DM 10

Peter Schneider
Lenz
Rotbuch Taschenbuch 71
96 Seiten, DM 12

Luciano Canfora
Die verschwundene Bibliothek
Rotbuch Taschenbuch 16
208 Seiten, DM 14

Über unser vollständiges Programm informiert Sie
alljährlich unser Gesamtverzeichnis
Rotbuch Verlag Elbestr. 28/29 12045 Berlin